Diciembre 1994

Para las muy buenas
amigas de [illegible]
y Merce[illegible]
hoy las cuento entre mis
amigas, con todo cariño
les obsequio este libro,
que espero sea de vuestro
agrado; a la vez les deseo
que pasen muy FELICES FIESTAS
junto a vuestras amadas
familias, un beso

Raquel

HAROLD S. KUSHNER

•

CUANDO LA GENTE BUENA SUFRE

Traducción de
María C. Cochella de Córdova

DEL MISMO AUTOR
por nuestro sello editorial

■

CUANDO NADA TE BASTA
¿QUIÉN NECESITA A DIOS?

Harold S. Kushner

•

Cuando la Gente Buena Sufre

EMECÉ EDITORES

El autor desea expresar su agradecimiento a:

The Free Press, una División de Macmillan Publishing Co., Inc., por permitirle citar texto de *Faith and Doubt of Holocaust Survivors* (La fe y la duda de los sobrevivientes del Holocausto), de Reeve Robert Brenner, 1980, Copyright © 1980 de Reeve Robert Brenner.

Fortress Press, por permitirle citar texto de *Suffering* (Sufriendo), de Dorothee Soelle, 1975, Copyright © 1975 de Fortress Press.

Harcourt Brace Jovanovich, Inc., por permitirle citar texto de *Anatomy of Faith* (Anatomía de la fe), de Milton Steinberg.

Media Judaica, por permitirle citar texto de *Likrat Shabbat* recopilado y traducido por el rabino Sidney Greenberg y editado por el rabino Jonathan D. Levine, 1981, Copyright © 1973, 1981 de Prayer Book Press of Media Judaica Inc.

Simon & Shuster Inc., una división de Gulf & Western Corporation, por permitirle citar texto de *Trampa-22*, de Joseph Heller, 1961, Copyright © 1955, 1961 de Joseph Heller.

Houghton Mifflin Company, por permitirle citar texto de *J. B., A Play in Verse*, de Archibald MacLeish, Copyright © 1956, 1957, 1958 de Archibald MacLeish.

Diseño de Tapa: *Eduardo Ruiz*
Título original: *When Bad Things Happen to Good People.*

Alsina 2062 - Buenos Aires, Argentina.
Primera edición.
Impreso en Verlap S.A.,
Vieytes 1534, Buenos Aires, mayo de 1994.

IMPRESO EN LA ARGENTINA / PRINTED IN ARGENTINA
Queda hecho el depósito que previene la ley 11.723.
I.S.B.N.: 950-04-1333-7
23.464

A LA MEMORIA DE
AARON ZEV KUSHNER
1963-1977

Y David dijo: Mientras el niño vivía, yo ayunaba y lloraba, pensando: "¿Quién sabe?, a lo mejor el Señor se apiada de mí y el niño se cura". Pero ahora que está muerto, ¿para qué voy a ayunar? ¿Acaso podré hacerlo volver? Yo iré hacia él, pero él no volverá hacia mí. (II Samuel 12:22-23)

PRÓLOGO A LA SEGUNDA EDICIÓN

Nunca pensé que me convertiría en un autor de bestsellers, y estoy tan asombrado como la mayoría por las circunstancias que me llevaron a serlo. Cuando este libro se publicó por primera vez en 1981, supuse que lo comprarían y leerían unos cientos de amigos y parientes, y que eso sería todo. Para mi sorpresa, y la sorpresa placentera de mi editor, Shocken Books, se convirtió en un libro de gran venta y permaneció en la lista de bestsellers del *New York Times* durante más de un año. Traducido a diez idiomas, fue bestseller en tres países extranjeros y ocupó el primer lugar en la lista de ensayos de Holanda durante dos años consecutivos. Pero sobre todo, no ha pasado una semana durante los últimos ocho años en que yo no haya recibido una o más cartas de personas que me cuentan lo que significó el libro para ellas.

¿Qué aprendí de esas cartas, llamados telefónicos y encuentros personales con las personas a quienes mi libro conmovió? Principalmente, que existe mucho más dolor en el mundo del que yo había imaginado. Como pastor de una congregación, creía tener noción del sufrimiento y la angustia que me rodeaban. En una semana cualquiera, un cierto número de mis parroquianos tenía que internarse en un hospital. Un cierto número acudía a mí para consultarme acerca de problemas con sus padres ancianos, matrimonios tambaleantes o hijos rebeldes. Dos o tres veces al mes, me llamaban para oficiar un funeral, por lo general la muerte tranquila de una persona anciana, pero ocasionalmente una pérdida más trágica. Suponía que el mundo era así: la mayoría de la gente proseguía con su vida normal mientras que, en un momento determinado, una minúscula porción de la humanidad tenía aflicciones y sufría.

La correspondencia que recibí me indicó lo contrario: supe de pérdidas dolorosas, enfermedades con secuelas serias, personas que habían sido perjudicadas por aquellos en quienes confiaban. Yo había partido de la suposición de que mi esposa y yo éramos la excepción porque, en un mundo lleno de gente normal, habíamos perdido un hijo. Aprendí que existían pocas personas "normales" en el mundo. Quizá no tengamos mucho en común con los Bush, Kennedy y Rockefeller pero, al igual que ellos, nosotros y la familia que vive en la vereda de enfrente o la gente que vive a la vuelta de la esquina, hemos perdido a un hijo. Y quienes no hayan sufrido esa tragedia probablemente han recibido otro tipo de heridas o las sufrirán si viven lo suficiente y se interesan por los demás.

Durante los últimos ocho años aprendí algo que quizá debí haber sabido pero no sabía: no sólo existe mucho sufrimiento sino que, en su mayor parte, la religión organizada no cumple bien con su trabajo de aliviar ese dolor. En una carta tras otra, los lectores me contaban que su pastor, o sus amigos religiosos, tenían buenas intenciones pero les decían las cosas equivocadas que los hacían sentirse peor. ¿Por qué? Es posible que las expectativas de la gente fueran demasiado elevadas o irreales, que su pérdida hubiera dejado un vacío que no podía llenar ni siquiera el pastor más hábil. Si los amigos no podían devolverle la vida a una persona amada, ¿qué podían hacer para que una esposa, madre o hija se sintiera mejor? Pero creo que también existe otra razón. Es posible que el objeto de la mayoría de las respuestas religiosas no sea tanto aliviar el dolor de la persona sufriente sino defender y justificar a Dios, para persuadirnos de que lo malo es en realidad bueno, de que nuestra aparente desgracia sirve a los designios más grandes de Dios. Las frases tales como "con el tiempo, esto te convertirá en una persona mejor", "debes estar agradecido por lo que tuviste", o "Dios sólo elige a las flores más bellas para Su jardín celestial", aun cuando hayan sido dichas con las mejores intenciones, son interpretadas por el que sufre como si le estuvieran diciendo: "Deja de sentir lástima por ti mismo; existe una buena razón para esto". Sin embargo, lo que más necesitan las personas que atraviesan por un momento doloroso es consuelo, no una explicación. Un abrazo cálido y un oído paciente curan más corazones que un sermón teológico.

Una de las cosas que hacen que nos resulte difícil manejar nuestros propios problemas y ayudar a los demás con los suyos es que nos cuesta mucho aceptar el dolor. Comprendemos que el dolor es una señal de que algo está mal y llegamos a la conclusión de que si pudiéramos eliminarlo —tomando pastillas, emborrachándonos o alejándonos de una relación problemática— podríamos corregir lo que está mal porque de ese modo ya no nos causaría dolor. He recibido docenas de cartas de mujeres que me contaban que cuando contrajeron una enfermedad grave o descubrieron que tenían un hijo discapacitado, sus esposos las abandonaron. La mayoría de las cartas expresaban desconcierto. "No lo puedo comprender. Yo creía que realmente me quería y quería a los niños." Tengo la corazonada de que muchos de esos esposos no eran simplemente egoístas y duros. Amaban a su familia, tanto la amaban que les causaba dolor ver sufrir a sus seres queridos y no podían soportar ese dolor. Por lo tanto, como no podían ignorar el problema, lo "solucionaban" marchándose y así no tenían que enfrentarlo. Cuando doy conferencias acerca de ayudar a la gente a sobrellevar su pena, una de las cosas que digo es: "Habrá momentos en que las cosas estén tan destrozadas que estarán seguros de no poder hacer nada para enmendarlas, pero siempre pueden hacer algo, aunque más no sea sentarse junto a alguien y ayudarlo a llorar, para que no tenga que llorar solo".

Aprendí que todas las experiencias de pérdida y duelo están estructuradas del mismo modo; sólo difieren en intensidad. Experimentamos los mismos sentimientos cuando un amigo se muda a otra ciudad que cuando ese amigo muere, pero menos intensamente: pérdida, tristeza, ira contra la persona que nos deja, culpa por enojarnos con un buen amigo. Nadie tiene derecho a decirnos: "No te sientas mal, hay otros que están peor". Cada corazón conoce su propio dolor, y sabe que tiene motivos para sufrir. Y nadie tiene derecho a colocarnos dentro de un cronograma y decirnos: "Ya pasaron seis meses, deberías haberlo superado".

Pero lo principal es que aprendí algo acerca de la increíble resistencia del alma humana. He leído y oído testimonios de circunstancias que debieron soportar muchas personas y de las cuales muchos emergieron con su fe, su deseo de vida y su determinación intactas. He hablado con padres que permanecieron junto a la cama de su hijo moribundo, como lo hicimos mi esposa y yo, y respondieron: "Ojalá seamos merecedores del valor puro de este niño. Ojalá tengamos la fuerza y la sabiduría para vivir los años que él no vivió, para saborear la alegría de vivir que él no vivió para saborear". La tragedia los hizo comprender que la enfermedad y la muerte son trágicas solamente porque la vida es buena y santa.

He conocido gente cuya vida quedó destrozada por accidentes o crímenes violentos y me maravillé ante su capacidad no sólo de sobrevivir sino de esforzarse por vivir una vida llena de logros. He mantenido correspondencia con personas que sufrieron abusos siendo niños y llevaban muchos años tratando de superar la culpa y el dolor, uniendo las piezas de su vida para poder confiar, amar y reír nuevamente, dispuestas a hablar en público de sus historias angustiantes con la esperanza de ayudar a los demás. Y admiré el valor y la determinación de todos ellos, preguntándome dónde habrían encontrado la fuerza para hacer lo que estaban haciendo. No hay respuesta a menos que realmente exista un Dios que renueva nuestra fuerza cuando luchamos para lograr algo difícil.

La gente que leyó este libro me pregunta con frecuencia si creo en los milagros. Por supuesto que creo. Pero algunas veces debemos mirar con mucha atención para verlos porque no siempre adoptan la forma que estábamos esperando. Cuando los padres de un niño sumamente enfermo rezan por una recuperación milagrosa, cuando los tíos y tías y abuelos y miembros de su iglesia o sinagoga se unen a sus oraciones, y el niño muere, ¿debemos llegar a la conclusión de que no hubo milagro? ¿De que nuestras plegarias no fueron escuchadas? En realidad, quizá sí hubo un milagro, después de todo. El milagro no fue que el niño sobreviviera; algunas enfermedades son incurables. Tal vez, el milagro fue que el matrimonio de sus padres sobrevivió, a pesar de las tensiones que inflige la muerte de un hijo en un matrimonio. El milagro puede ser que la fe de la comunidad sobreviva aún después de comprobar que en este mundo los niños inocentes enferman y mueren. Cuando vemos que gente débil se vuelve fuerte, que gente tímida se vuelve valiente y que gente egoísta se vuelve generosa, sabemos que estamos presenciando un milagro. Yo he visto esos milagros (muchos de ellos me sucedieron a mí). Sospecho que todos los hemos visto.

Cuando viajo, no son muchas las personas que reconocen mi nombre, pero sí muchas las que reconocen el título de este libro. *Cuando la gente buena sufre* se ha transformado, virtualmente, en una frase común para referirse al tema de las injusticias de la vida. Al contemplar los acontecimientos de los últimos ocho años, encuentro tres motivos de satisfacción:

Primero, le he contado al mundo la historia de la vida y muerte de Aaron. Cuando Aaron comprendió que moriría al comienzo de su adolescencia, fue importante para él que se conociera su historia. Aparentemente, muchos niños con enfermedades terminales temen que, al morir, se los olvide porque su vida fue muy breve y estuvo demasiado llena de dolor como para recordarla. Tuvimos que asegurarle muchas veces que su vida era demasiado preciosa para nosotros como para olvidarla. En parte, escribí este libro para cumplir una promesa que le hice a mi hijo.

Segundo, el hecho de que este libro cambió mi vida es mucho menos importante que el hecho de que cambió la vida de miles de personas, dándoles esperanzas y consuelo y ayudándolas a encontrar el camino de regreso a Dios. Dondequiera que viajo y doy conferencias, me encuentro con personas que me dicen que he cambiado su vida, no sólo a través de mis ideas sino por ser una persona que sufrió una pena y emergió íntegra de ella. En última instancia, esa será mi inmortalidad, el haber influido beneficiosamente en la vida de los demás.

Y, finalmente, pienso que este libro dio significado a la vida de Aaron. Aaron no vivió lo suficiente para casarse y tener hijos o para tener un efecto sobre la vida de los demás (aunque varios de sus compañeros del pequeño colegio privado al cual asistió, escribieron ensayos en la universidad refiriéndose a él como "mi personaje inolvidable"). Sin este libro, su muerte sólo hubiera sido una estadística, una tragedia privada. Pero creo que Dios, que no envió la enfermedad ni podía evitarla, hizo por mí lo que hace por tanta gente que sufre: me dio la fortaleza y la sabiduría para convertir mi dolor personal en un instrumento de redención, un medio de ayuda para los demás. Como en la adivinanza de Sansón en el Libro de los Jueces (14:14): "Del que come salió comida, y del fuerte salió dulzura".

Harold S. Kushner
Natick, Massachusetts, 1989

Introducción

POR QUÉ ESCRIBÍ ESTE LIBRO

Este no es un libro abstracto sobre Dios y teología. No se propone utilizar palabras grandilocuentes ni frases ingeniosas para evadir preguntas con la intención de convencernos de que nuestros problemas, en realidad, no son problemas, que sólo nosotros creemos que lo son. Es un libro muy personal, escrito por alguien que cree en Dios y en la bondad del mundo, alguien que ha dedicado la mayor parte de su vida a tratar de ayudar a los demás a creer, y que se vio impulsado por una tragedia personal a repensar todo lo que le habían enseñado acerca de Dios y el modo en que Él actúa.

Nuestro hijo Aaron acababa de cumplir tres años cuando nació nuestra hija Ariel. Aaron era un niño alegre y feliz y antes de los dos años ya podía identificar a una docena de dinosaurios diferentes y explicarle pacientemente a un adulto que los dinosaurios se habían extinguido. Mi esposa y yo nos preocupamos por su salud desde que dejó de crecer a los ocho meses y más aún cuando se le comenzó a caer el cabello poco después de cumplir un año. Lo revisaron médicos prominentes, que mencionaron nombres complicados al referirse a su estado pero nos aseguraron que al crecer sería muy bajo pero normal en cualquier otro sentido. Antes del nacimiento de nuestra hija, nos mudamos de Nueva York a un suburbio de Boston, donde me convertí en rabino de la congregación local. Cuando nos enteramos de que el pediatra de la zona estaba investigando los problemas del crecimiento infantil, le llevamos a Aaron. Dos meses después, el día en que nació nuestra hija, el pediatra visitó a mi esposa en el hospital y nos dijo que el problema de nuestro hijo se llamaba progeria, "envejecimiento acelerado". Nos explicó que Aaron no alcanzaría una altura muy superior a los noventa centímetros, no tendría cabellos ni en la cabeza ni en el cuerpo, su cara sería la de un ancianito aún siendo niño, y moriría al comienzo de su adolescencia.

¿Cómo se maneja una noticia como esa? Yo era un rabino joven y sin experiencia, no estaba familiarizado con el proceso de la pena, no como lo estaría más adelante, y lo que más sentí ese día fue una profunda y dolorosa sensación de injusticia. No tenía sentido. Yo había sido una buena persona. Me había esforzado por hacer lo correcto a los ojos de Dios. Más aún, llevaba una vida de mayor compromiso religioso que la mayoría de la gente que conocía, gente que tenía una familia numerosa y sana. Creía que estaba siguiendo los designios de Dios y haciendo Su trabajo. ¿Cómo era posible que le estuviera sucediendo eso a mi familia? Si Dios existía, si era mínimamente justo y, más aún, afectuoso e indulgente, ¿cómo era posible que me hiciera eso?

Aun cuando pudiera convencerme de que me merecía ese castigo por algún pecado de omisión u orgullo del cual no era consciente, ¿por qué razón a través de Aaron? Aaron era un niño inocente y sociable de tres años. ¿Por qué debía padecer un sufrimiento físico y psicológico que le duraría todos y cada uno de los días de su vida? ¿Por qué debía ser el blanco de todas las miradas dondequiera que fuera? ¿Por qué debía estar condenado a llegar a la adolescencia y ver que los otros chicos y chicas comenzaban a salir en parejas, sólo para comprender que él jamás se casaría ni tendría hijos? Simplemente, no tenía sentido.

Como la mayoría de la gente, mi esposa y yo crecimos con la idea de que Dios era como un padre omnipotente y sabio que nos trataría como lo hacían nuestros padres terrenales, o inclusive mejor. Si éramos obedientes y meritorios, Él nos recompensaría. Si nos alejábamos de sus enseñanzas, Él nos castigaría, con pena pero con firmeza. Nos protegería para que no nos lastimaran ni nos lastimáramos a nosotros mismos, y tomaría los recaudos para que obtuviéramos lo que nos merecíamos en la vida.

Como la mayoría de la gente, yo percibía las tragedias humanas que oscurecían el panorama: los jóvenes que perecían en accidentes automovilísticos, las personas alegres y afectuosas que se malograban en enfermedades que los convertían en discapacitados, los vecinos y familiares de cuyos hijos deficientes o con enfermedades mentales la gente hablaba en voz baja. Pero esa percepción jamás me llevó a cuestionar la justicia de Dios. Suponía que Él sabía más que yo acerca del mundo.

Y sin embargo, después, llegó ese día en el hospital en que el doctor nos habló acerca de Aaron y nos explicó lo que significaba progeria. La noticia estaba en contra de todo lo que me habían enseñado. No podía más que repetir una y otra vez en mi mente: esto no puede estar sucediendo. No es así como se supone que funciona el mundo. Se suponía que esas tragedias le sucedían a personas egoístas y deshonestas a quienes yo, como rabino, debía consolar, asegurándoles que el amor de Dios lo perdona todo. Si lo que yo creía acerca del mundo era cierto, ¿cómo podía sucederme a mí, a mi hijo?

Hace poco, leí acerca de una madre israelí que, en cada cumpleaños de su hijo, dejaba la fiesta, se encerraba en su dormitorio y lloraba porque su hijo estaba un año más próximo al servicio militar, un año más próximo a poner en peligro su vida, posiblemente un año más próximo a convertirla en una de las miles de madres israelíes que deben llorar a un hijo caído en batalla. Cuando lo leí, supe exactamente cómo se sentía. Cada año, mi esposa y yo celebrábamos el cumpleaños de Aaron. Nos alegrábamos por su crecimiento y los conocimientos que adquiría. Pero estábamos acongojados por la fría certeza de que ese año nos aproximaba más al día en que lo perderíamos.

Yo sabía que algún día escribiría este libro. Lo escribiría por mi propia necesidad de poner en palabras algunas de las cosas más importantes que he llegado a creer y saber. Y lo escribiría para ayudar a personas que pudieran encontrarse, algún día, en una situación similar. Lo escribiría para todas las personas que desean seguir creyendo pero cuya ira contra Dios les impide aferrarse a su fe y recibir el consuelo de la religión. Y lo escribiría para todas esas personas cuyo amor y devoción por Dios las hace culparse de sus sufrimientos y persuadirse de que se los merecen.

No había muchos libros, ni tampoco muchas personas que nos ayudaran cuando Aaron vivía y moría. Los amigos lo intentaron, y fueron útiles, ¿pero cuánto podían hacer realmente? Y los libros a los cuales recurrí se ocupaban más de defender el honor de Dios, con pruebas lógicas de que lo malo es en realidad bueno y de que el mal es necesario para que este mundo sea bueno, que de calmar la preocupación y angustia del padre de un niño moribundo. Tenían respuestas para todas sus preguntas, pero ninguna para las mías.

Espero que este libro no sea así. No me propuse escribir un libro que defendiera o explicara a Dios. No es necesario agregar un compendio más a la gran cantidad de tratados existentes, y aunque sí lo fuera, yo nunca estudié filosofía formal. Soy, fundamentalmente, un hombre religioso herido por la vida. Quiero escribir un libro que se pueda entregar a una persona herida por la vida —por la muerte, la enfermedad o un accidente, un rechazo o desilusión—, ese tipo de persona que sabe en lo profundo de su corazón que si hubiera justicia en el mundo, se merecería algo mejor. ¿Qué significa Dios para esa persona? ¿A quién puede recurrir en busca de fortaleza y esperanza? Si usted es esa persona, si desea creer en la bondad y justicia de Dios y le resulta difícil debido a las cosas que le han sucedido a usted y a las personas que ama, y si este libro lo ayuda a hacerlo, entonces habré logrado destilar algunas bendiciones a partir del dolor y las lágrimas de Aaron.

Si en algún momento encuentro que mi libro se

sumerge en explicaciones teológicas técnicas e ignora el dolor humano, cuando ese dolor humano es su verdadero tema, espero que el recuerdo del motivo por el cual comencé a escribirlo me permita retomar mi curso. Aaron falleció dos días después de cumplir catorce años. Este libro le pertenece porque para mí, cualquier intento para dar un sentido al dolor y al mal del mundo tiene que considerarse éxito o fracaso según la base que ofrezca para encontrar una explicación aceptable al problema de por qué él y nosotros debimos sufrir lo que sufrimos. Este libro le pertenece porque su vida lo hizo posible y su muerte, necesario.

1

¿POR QUÉ SUFREN LAS BUENAS PERSONAS?

Hay una sola pregunta que realmente importa: ¿por qué le pasan cosas malas a la gente buena? Cualquier otra conversación teológica sería una distracción intelectual; algo así como completar el crucigrama del periódico dominical y sentirse muy satisfecho cuando las palabras concuerdan sin darse cuenta de que, en definitiva, se sigue sin la capacidad para llegar a las personas en relación con lo que a ellas realmente les importa. Prácticamente todas las conversaciones significativas que he sostenido con otras personas sobre el tema de Dios y la religión comenzaron con esa pregunta o fueron a parar a ella. La mujer o el hombre angustiado que acaba de salir del consultorio del médico con un diagnóstico desalentador tienen algo en común pero también lo tienen el estudiante universitario que me dice que ha decidido que Dios no existe o el desconocido que se me acerca en una fiesta en el instante en que estoy por pedirle mi abrigo a la anfitriona y me dice: "Así que es un rabino; ¿cómo puede creer que...?". Todos están preocupados por la distribución injusta del sufrimiento en el mundo.

El infortunio de los buenos es un problema, y no sólo para la gente que lo sufre y los seres que los rodean. Lo es para todos los que desean creer en un mundo justo y equitativo y habitable. Es inevitable que se formulen preguntas acerca de la bondad, la generosidad e inclusive la existencia de Dios.

Soy rabino de una congregación de seiscientas familias, o sea de alrededor de dos mil quinientas personas. Los visito en los hospitales, celebro sus funerales, trato de ayudarlos a superar el dolor causado por un divorcio, un quebranto comercial, la infelicidad de la rebeldía o el alejamiento de sus hijos. Los escucho cuando me cuentan historias sobre esposos o esposas con una enfermedad terminal, padres seniles para quienes una vida larga es una maldición en lugar de una bendición, personas a las que aman contorsionadas por el dolor o abrumadas por la frustración. Y me resulta muy difícil decirles que la vida es justa, que Dios les da a las personas lo que ellas se merecen y necesitan. En muchas ocasiones, he visto que las familias e inclusive toda la comunidad se unían para rezar por la recuperación de una persona enferma pero sus esperanzas y oraciones no eran escuchadas. He visto enfermar, sufrir y morir jóvenes a las personas equivocadas.

Como cada uno de los lectores de este libro, al leer todos los días el periódico, mis ojos captan nuevos desafíos a la idea de la bondad del mundo: asesinatos sin sentido, bromas fatales, gente joven fallecida en accidentes automovilísticos cuando se dirigía a su boda o regresaba a su casa de su fiesta de graduación. Sumo esas historias a las tragedias personales que he conocido y no puedo más que preguntarme: ¿Puedo, de buena fe, continuar enseñándole a la gente que el mundo es bueno y que un Dios bondadoso y afectuoso es responsable de todo lo que sucede en él?

No es necesario que las personas sean seres humanos santos y extraordinarios para enfrentarse a ese problema. Es probable que no nos preguntemos con frecuencia: "¿por qué sufre la gente que es generosa, la gente que nunca hace nada malo?", pero eso es porque conocemos a muy pocos individuos así. Lo que sí nos preguntamos con frecuencia es por qué la gente común, los vecinos amables y amistosos, que no son ni extraordinariamente buenos ni extraordinariamente malos, deben enfrentar repentinamente la agonía del dolor y la tragedia. Si el mundo fuera justo, no se merecerían ese dolor. No son mucho mejores ni mucho peores que la mayoría de la gente que conocemos; ¿por qué ha de ser más difícil su vida? Cuando nos preguntamos: "¿Por qué sufren las personas buenas?" o "¿por qué le pasan cosas malas a la gente buena?", nuestra preocupación no está limitada al martirio de los santos y sabios; es un intento por comprender por qué la gente común —nosotros y las personas que nos rodean— debe soportar una carga extraordinaria de pena y dolor.

Era un rabino joven en los inicios de mi carrera cuando me llamaron para que intentara ayudar a una familia que atravesaba una tragedia inesperada y casi insoportable. Se trataba de un matrimonio de mediana edad que tenía una hija brillante de diecinueve años que cursaba el segundo año en una universidad de otro estado. Una mañana, mientras estaban desayunando, recibieron un llamado telefónico de la guardia médica de la universidad.

"Debemos darles una mala noticia. Su hija sufrió un colapso cuando se dirigía a clase esta mañana. Aparentemente, estalló una arteria en su cerebro. Falleció antes de que pudiéramos hacer nada. Lo sentimos muchísimo."

Aturdidos, los padres llamaron a un vecino para que fuera a ayudarlos a decidir los pasos que debían dar a continuación. El vecino notificó a la sinagoga y fui a visitarlos ese mismo día. Cuando entré en su casa me sentía inepto, no encontraba las palabras para aliviar su dolor. Pensaba que encontraría ira, conmoción, dolor, pero no esperaba oír las primeras palabras que me dijeron: "Sabe, rabino, no ayunamos el último Yom Kippur".

¿Por qué lo dijeron? ¿Por qué supusieron que eran responsables, de algún modo, por esa tragedia? ¿Quién les enseñó a creer en un Dios que fulminaría sin advertencia previa a una joven atractiva e inteligente, como castigo porque otras personas no cumplieron con los ritos?

Uno de los modos en que la gente intentó dar sentido al sufrimiento del mundo, en cada generación, fue suponiendo que nos merecemos lo que recibimos, que nuestro infortunio es, en cierto modo, un castigo por nuestros pecados:

> ¡Feliz el justo, porque le irá bien, comerá el fruto de sus acciones! ¡Ay del malvado, porque le irá mal, se le devolverá lo que hicieron sus manos!
> (*Isaías* 3:10-11)

Er desagradó al Señor, y el Señor lo hizo morir. (*Génesis* 38:7)

Al justo no le pasará nada malo, pero los malvados están llenos de desgracias. (*Proverbios* 12:21)

Recuerda esto: ¿quién pereció siendo inocente o dónde fueron exterminados los hombres rectos? (*Job* 4:7)

Esta es una actitud que veremos más adelante en el libro cuando hablemos de la cuestión de la culpa. Hay momentos en que es tentador creer que las cosas malas le pasan a la gente (especialmente a los demás) porque Dios es un juez justo que les da exactamente lo que se merecen. Si creemos eso, el mundo nos parece ordenado y comprensible. Le damos a la gente el mejor motivo posible para ser buena y evitar el pecado. Y podemos conservar la imagen de un Dios afectuoso y todopoderoso que ejerce el control total. Dada la realidad de la naturaleza humana, dado el hecho de que ninguno de nosotros es perfecto y de que cada uno de nosotros, sin demasiada dificultad, puede recordar cosas que hizo y que no debería haber hecho, siempre podemos encontrar un motivo para justificar lo que nos sucede. ¿Pero hasta qué punto nos consuela esa respuesta? ¿Hasta qué punto es adecuada desde el punto de vista religioso?

La pareja que yo intentaba consolar, los padres que habían perdido inesperadamente a su única hija de sólo diecinueve años, no eran profundamente religiosos. No participaban activamente en la sinagoga; ni siquiera habían ayunado en el Yom Kippur, tradición que conservan muchos judíos que no son practicantes en otros sentidos. Pero cuando los golpeó la tragedia, volvieron a la convicción básica de que Dios castiga a la gente por sus pecados. Sentían que su hija había muerto por culpa de ellos; si hubieran sido menos egoístas y perezosos acerca del Yom Kippur unos seis meses antes, ella quizá seguiría con vida. Sentían ira contra Dios por haberse cobrado en forma estricta Su gramo de carne, pero sentían temor de admitir la ira pensando que Él podía castigarlos nuevamente. La vida los había herido y la religión no los podía consolar. La religión los hacía sentir peor.

La idea de que Dios le da a la gente lo que se merece, de que la causa de nuestro infortunio son nuestros errores, es una solución prolija y atractiva al problema del mal, pero tiene varias limitaciones graves. Como hemos visto, enseña a la gente a culparse a sí misma. Crea culpa aun cuando no existen bases para ella. Hace que las personas odien a Dios, mientras al mismo tiempo se odian a sí mismas. Y lo que es aún más perturbador, ni siquiera se ajusta a la verdad.

Quizá si hubiéramos vivido antes de la era de las comunicaciones masivas, podríamos haber creído esa tesis, como la creyeron muchas personas inteligentes de otros siglos. En ese entonces era más fácil creer en ella. Sólo era necesario ignorar unos pocos casos de cosas malas que le sucedían a gente buena. Sin los diarios, sin la televisión, sin los libros de historia, era posible pasar por alto la muerte ocasional de un niño o de un vecino santo. Pero en la actualidad, sabemos demasiado acerca del mundo. ¿Cómo podría alguien que reconoce los nombres Auschwitz y My Lai, o que ha recorrido los pasillos de los hospitales y asilos, atreverse a responder a la pregunta del sufrimiento del mundo citando las palabras de Isaías: "Diles a los justos que ellos no sufrirán"? Para creer eso en la actualidad, habría que negar los hechos que nos acosan desde todos los ámbitos, o definir la palabra "justo" a fin de incluir hechos ineludibles. Deberíamos decir que una persona justa es la que vivió muchos años y bien, haya sido o no honesta y caritativa, y que una persona malvada es la que sufrió, aunque su vida haya sido digna de elogio en todo otro sentido.

Una historia verdadera: un niño conocido mío de once años fue objeto de un examen rutinario de la vista en la escuela y se descubrió que era lo suficientemente corto de vista como para necesitar anteojos. Nadie se sorprendió ante la noticia. Tanto su padre como su madre usaban anteojos y también su hermana mayor. Pero por algún motivo, el niño estaba muy perturbado ante la perspectiva, y no quería decir por qué. Finalmente, una noche cuando su madre lo estaba acostando, le contó la verdad. Una semana antes del examen de la vista, él y dos amigos mayores estaban revisando una pila de basura que había sacado un vecino a la calle cuando encontraron un ejemplar de la revista *Playboy*. Sintiendo que hacían algo malo, pasaron varios minutos mirando las fotos de mujeres desnudas. Unos días después, cuando reprobó el examen de vista en la escuela y le dijeron que debía usar anteojos, el niño llegó a la conclusión de que Dios había comenzado el proceso de castigarlo con la ceguera por mirar esas fotos.

Algunas veces, tratamos de encontrarles un sentido a las pruebas a las que nos somete la vida afirmando que la gente recibe, en realidad, lo que se merece, pero solamente con el transcurso del tiempo. En un momento determinado, la vida puede parecer injusta, decimos, puede parecer que hay gente inocente que está sufriendo. Pero si esperamos el tiempo suficiente, veremos emerger la justicia del plan de Dios.

Así, por ejemplo, el Salmo noventa y dos alaba a Dios por el maravilloso, inmaculado y justo mundo que nos ha dado y sugiere que la gente insensata le encuentra defectos porque es impaciente y no le da a Dios el tiempo necesario para que emerja Su justicia.

> ¡Qué grandes son tus obras, Señor,
> qué profundos tus designios!
> El hombre insensato no conoce
> y el necio no entiende estas cosas.
> Si los impíos crecen como la hierba
> y florecen los que hacen el mal,
> es para ser destruidos eternamente...
> El justo florecerá como la palmera,
> crecerá como los cedros del Líbano...
> Para proclamar qué justo es el Señor,
> mi Roca, en Quien no existe la maldad.
>
> (*Salmo* 92:6-8, 13, 16)

El salmista desea explicar el mal aparente del mundo sin comprometer, en modo alguno, la justicia y rectitud de Dios. Lo hace comparando los impíos con la hierba y los justos con la palmera o el cedro. Si se planta una semilla de hierba y otra de palmera el mismo día, la hierba comenzará a brotar mucho antes. En ese punto, una persona que no supiera nada de la naturaleza podría predecir que la hierba crecería más alta y fuerte que la palmera. Pero el observador con experiencia sabría que la ventaja de la hierba era sólo temporaria, que se marchitará y morirá a los pocos meses mientras el árbol crece lentamente hasta una altura y una fuerza que le permitirán perdurar durante más de una generación.

Así también, sugiere el salmista, la gente insensata e impaciente ve la prosperidad del impío y el sufrimiento del justo y llega a la conclusión de que es preferible ser impío. Pero si observa la situación a largo plazo, señala, verá que el impío se marchita como la hierba y el justo prospera en forma lenta pero segura, como la palmera o el cedro.

Si pudiera conocer al autor del Salmo noventa y dos, lo felicitaría primero por haber compuesto una obra maestra de la literatura devocional. Reconocería que dijo algo perspicaz e importante acerca del mundo en que vivimos, que el hecho de ser deshonestas e inescrupulosas da a las personas una ventaja al comienzo, pero que la justicia zanja esa ventaja. Como escribió el rabino Milton Steinberg: "Consideremos la estructura de las relaciones humanas: el hecho de que la falsedad, que no tiene piernas, no puede sostenerse; que el mal tiende a destruirse a sí mismo; que cada tiranía invocó, eventualmente, su propia perdición. Luego, coloquemos frente a ella el poder permanente de la verdad y la rectitud. ¿Sería tan pronunciada la diferencia a menos que algo en el plan de las cosas desalentara el mal y favoreciera el bien?" (*Anatomía de la fe*.)

Pero después de decir eso, me sentiría obligado a señalar que su teología incluye muchos hechos ilusorios. Aun cuando le concediera que las personas malvadas reciben un castigo por su maldad, que pagan por ella de uno u otro modo, no puedo decir Amén después de su aseveración de que "los justos florecen como la palmera". El salmista quiere hacernos creer que, si dispusiera de tiempo suficiente, el justo alcanzaría y superaría al malvado en la obtención de las cosas buenas de la vida. ¿Cómo explica el hecho de que Dios, que presumiblemente está detrás de estos arreglos, no siempre da al hombre justo el tiempo necesario para alcanzar al malvado? Algunas buenas personas mueren sin realizarse; otras consideran que su larga vida es un castigo y no un privilegio. El mundo no es un lugar tan prolijo como lo pinta el salmista.

Esto me recuerda a un conocido que levantó una empresa modestamente exitosa a través de muchos años de trabajo duro, pero finalmente se vio obligado a declararse en quiebra cuando lo estafó un hombre de su confianza. Puedo decirle que la victoria del mal sobre el bien es sólo temporaria, que la maldad de esa persona se volverá en su contra. Pero mientras tanto, mi conocido se ha convertido en un hombre cansado y frustrado que ya no es joven y que se ha vuelto cínico acerca del mundo. ¿Quién pagará los estudios universitarios de sus hijos, las cuentas de los médicos que se multiplican con la vejez durante los años en que tarde en compensarlo la justicia de Dios? Por mucho que desearía creer, junto con Milton Steinberg, que la justicia finalmente emergerá, ¿puedo garantizar que vivirá lo suficiente para verse reivindicado? No, yo no puedo compartir el optimismo del salmista acerca de que, a largo plazo, los justos florecerán como la palmera y darán testimonio de la rectitud de Dios.

Con frecuencia, las víctimas del infortunio tratan de consolarse con la idea de que Dios tiene Sus razones para que eso les suceda a ellas, razones que no está en sus manos juzgar. Esto me recuerda a una mujer que conozco llamada Helen.

El problema comenzó cuando Helen notó que se cansaba después de caminar varias cuadras o permanecer de pie haciendo cola. Lo atribuyó a los años y al exceso de peso. Pero una noche, cuando regresaba a su casa después de cenar con unos amigos, tropezó con el umbral de la puerta de entrada, tiró una lámpara al piso y se cayó de bruces. Su esposo trató de restarle importancia y le dijo en broma que se había emborrachado con dos sorbos de vino, pero Helen sospechó que no era una cuestión para bromas. A la mañana siguiente, concertó una cita con el médico.

El diagnóstico fue esclerosis múltiple. El médico le explicó que era una enfermedad degenerativa del sistema nervioso y que empeoraría gradualmente, quizás en forma rápida, quizás en forma lenta en el curso de varios años. En un momento determinado, comenzaría a tener dificultades para caminar sin ayuda. Eventualmente, quedaría confinada a una silla de ruedas, perdería el control de los esfínteres y su invalidez iría en aumento hasta que falleciera.

El mayor temor de Helen se había confirmado. Al escuchar el diagnóstico estalló en llanto.

—¿Por qué tenía que pasarme esto? Traté de ser una

buena persona. Tengo esposo e hijos pequeños que me necesitan. No me lo merezco. ¿Por qué Dios me hace sufrir de este modo?

Su esposo tomó su mano e intentó consolarla:

—No puedes hablar de ese modo. Dios debe de tener Sus razones para hacer esto, y nosotros no somos dignos de cuestionarlo. Debes creer que si Él desea que mejores, mejorarás, y si no lo desea, será porque tiene algún propósito.

Helen trató de encontrar paz y fortaleza en esas palabras. Deseaba hallar consuelo en la idea de que su sufrimiento tenía algún propósito que ella no podía comprender. Deseaba creer que su problema tenía sentido. Durante toda su vida, le habían enseñado —en la escuela religiosa y también en las clases de ciencias— que el mundo tenía sentido, que todo lo que sucedía, sucedía por una razón. Deseaba seguir creyéndolo con desesperación, aferrarse a su convicción de que Dios controlaba todo, porque si no era así, ¿entonces quién lo hacía? Era difícil vivir con la esclerosis múltiple pero mucho más difícil era vivir con la idea de que a la gente le sucedían cosas sin razón alguna, de que Dios había perdido contacto con el mundo, de que nadie ocupaba el asiento del conductor.

Helen no deseaba cuestionar a Dios ni estar enojada con Él. Pero las palabras de su esposo la hicieron sentirse más abandonada y desorientada. ¿Qué clase de propósito elevado podía justificar lo que ella tendría que enfrentar? ¿Cómo era posible que eso fuera, de algún modo, bueno? Por más que se esforzaba por no enojarse con Dios, se sentía furiosa, dolida y traicionada. Había sido una buena persona; quizá no había sido perfecta pero sí honesta, trabajadora, servicial, tan buena como la mayoría y mejor que muchos de los que gozaban de buena salud. ¿Qué razones podía tener Dios para hacerle eso? Y, además, se sentía culpable por estar enojada con Dios. Se sentía sola en un momento de temor y sufrimiento. Si Dios le había enviado ese pesar, si Él, por alguna razón, deseaba que ella sufriera, ¿cómo podía pedir en un rezo la curación?

En 1924, Thornton Wilder intentó responder esta importantísima pregunta en su novela *El puente de San Luis Rey*. Un día, en un pueblito de Perú, se rompe un puente colgante y las cinco personas que lo estaban cruzando caen al abismo. Un joven sacerdote católico que observa el hecho queda consternado. ¿Se trató de un mero accidente o fue la voluntad de Dios que esas cinco personas murieran de ese modo? Investiga sus vidas y llega a una conclusión enigmática: las cinco personas acababan de resolver una situación problemática y estaban por iniciar una nueva etapa de su vida. El sacerdote piensa que quizá *fue* el momento adecuado para que ellas fallecieran.

Confieso que esa respuesta me resulta básicamente insatisfactoria. Sustituyamos los cinco peatones del puente colgante de Wilder por los doscientos cincuenta pasajeros que viajan en un avión que se estrella. Escapa a la imaginación suponer que cada uno de ellos acababa de superar una encrucijada en su vida. Las historias de interés humano que publican los periódicos después de un accidente aéreo parecen indicar lo contrario: que muchas de las víctimas estaban a la mitad de un trabajo importante, que muchas dejaron hijos pequeños y planes incompletos.

En una novela, donde la imaginación del autor puede controlar los hechos, es fácil que haya tragedias cuando la trama lo pide. Pero la experiencia me ha enseñado que la vida real no está organizada de ese modo.

Es probable que Thornton Wilder haya llegado a esa conclusión por sí mismo. Más de cuarenta años después de escribir *El puente de San Luis Rey,* un Wilder más anciano y sabio retomó la pregunta acerca de por qué sufren las personas buenas en otra novela: *El octavo día.* El libro relata la historia de un hombre bueno y decente cuya vida está asolada por la mala suerte y la hostilidad. Él y su familia sufren a pesar de ser inocentes. Al final de la novela, cuando el lector confía encontrar un final feliz en el que los héroes son recompensados y los villanos, castigados, nada de eso sucede. Por el contrario, Wilder nos presenta la imagen de un hermoso tapiz. Mirado del derecho, es una intrincada obra de arte que une hebras de distintas longitudes y colores para componer un cuadro inspirador. Pero al darlo vuelta, se ve una mezcolanza de hebras, algunas cortas y otras largas, algunas sueltas y otras cortadas y anudadas, que parten en distintas direcciones. Wilder lo ofrece como una explicación de por qué las buenas personas deben sufrir en esta vida. Dios tiene un diseño en el cual encajan todas nuestras vidas. Su diseño requiere que algunas vidas sean retorcidas, enredadas o breves mientras que otras se prolongan asombrosamente, no porque una hebra merezca mejor trato que otra, sino simplemente porque el diseño lo requiere. Visto desde abajo, desde el lugar que ocupamos en la vida, el diseño de recompensas y castigos parece arbitrario e informe, como el revés de un tapiz. Pero visto desde afuera, desde la posición que ocupa Dios, cada doblez y nudo ocupa su lugar en un diseño grandioso que constituye una obra de arte.

Esta sugerencia es muy conmovedora e imagino que mucha gente debe de hallar consuelo en ella. Es muy difícil soportar el sufrimiento sin sentido, el sufrimiento como castigo por un pecado no especificado. Pero el sufrimiento visto como una contribución a una obra de arte grandiosa diseñada por Dios puede ser no sólo una carga tolerable sino también un privilegio. En ese sentido, se recuerda que una de las víctimas del infortunio medieval expresó en su oración: "No me digas por qué debo sufrir. Sólo dame la seguridad de que sufro por Ti".

Sin embargo, cuando lo examinamos más detenidamente, este enfoque resulta deficiente. A pesar de su gran carga de compasión, también se basa en hechos ilusorios. La enfermedad que coarta la vida de un niño, la muerte de un esposo y padre joven, la ruina de una persona inocente debido a murmuraciones maliciosas son hechos reales. Los hemos presenciado. Pero nadie ha visto el tapiz de Wilder. Lo único que él nos puede decir es que imaginemos que tal tapiz podría existir. Me resulta muy difícil aceptar soluciones hipotéticas para problemas reales.

Con cuánta seriedad tomaríamos a una persona que dijera:

—Tengo fe en Adolfo Hitler y John Dillinger. No puedo explicar por qué hicieron las cosas que hicieron, pero no puedo creer que lo hayan hecho sin una buena razón.

Sin embargo, la gente trata de justificar las muertes

y tragedias que Dios impone a víctimas inocentes casi con las mismas palabras.

Mi compromiso religioso con el valor supremo de una vida individual me impide aceptar una respuesta que no se escandalice ante el dolor de una persona inocente, que se conforme y se resigne ante el dolor humano porque supuestamente contribuye a una obra global de valor estético. Si un artista o empleador humano hiciera sufrir a los niños para que pasara algo inmensamente impresionante o valioso, lo pondríamos en prisión. ¿Por qué, entonces, debemos disculpar a Dios por causar un dolor inmerecido, por más maravilloso que sea el resultado final?

Helen, al contemplar una vida de dolor físico y angustia mental, siente que la enfermedad la despojó de su fe infantil en Dios y en la bondad del mundo. Desafía a su familia, amigos, guía religioso, a que le expliquen por qué debía sucederle a ella, o a cualquier otra persona, algo tan terrible. Si Dios realmente existe, dice Helen, ella lo odia, y odia cualquier "diseño grandioso" que Lo llevó a infligirle esa desgracia.

Consideremos ahora otra pregunta: ¿Puede ser educativo el sufrimiento? ¿Puede sanarnos de nuestras faltas y convertirnos en personas mejores? Algunas veces, las personas religiosas que desean creer que Dios tiene buenas razones para hacernos sufrir, intentan imaginar cuáles podrían ser esas razones. En las palabras de uno de los grandes maestros judíos ortodoxos de nuestra época, el rabino Joseph B. Soloveitchik: "El sufrimiento ennoblece a los hombres, purga sus pensamientos de orgullo y superficialidad, amplía sus horizontes. En resumen, el sufrimiento tiene por objeto subsanar las carencias de la personalidad de los hombres".

Así como un padre debe algunas veces castigar a su hijo, a quien ama, por el bien del niño, también Dios debe castigarnos. El padre que arranca a su hijo de una calle transitada o se niega a darle una golosina antes de la comida, no es malo, injusto o represor. Se está comportando, simplemente, como un padre preocupado y responsable. Algunas veces, el padre debe castigar al niño, con una palmada o una prohibición para enseñarle una lección. El niño puede considerar que lo privan arbitrariamente de algo que tienen todos los demás niños, y puede preguntarse por qué un padre que afirma quererlo lo trata de ese modo, pero eso se debe a que aún es un niño. Cuando crezca, comprenderá la sabiduría y necesidad de esa medida.

En forma similar, según dicen, Dios nos trata como un padre sabio y afectuoso a un niño ingenuo, evitando que nos hagamos daño, privándonos de algo que pensamos que queremos, castigándonos ocasionalmente para asegurarse de que entendemos que hemos hecho algo muy malo, y soportando con paciencia nuestros berrinches ante Su "injusticia" en la confianza de que algún día maduraremos y comprenderemos que todo fue por nuestro propio bien. "Porque el Señor reprende a los que ama como un padre a su hijo muy querido." (*Proverbios* 3:12)

Los periódicos publicaron recientemente la historia de una mujer que viajó durante seis años alrededor del mundo, comprando antigüedades con miras a abrir un negocio. Cuando faltaba una semana para la inauguración del local, un rayo caprichoso inició un incendio en una cuadra de negocios y varios de ellos, incluyendo el suyo, se quemaron por completo. La mercadería, que era imposible de valuar e irremplazable, estaba asegurada solamente por una parte de su valor. ¿Y qué prima de seguro podía compensar a una mujer de mediana edad por los seis años de su vida que pasó buscando y coleccionando? La pobre mujer estaba desesperada.

—¿Por qué tuvo que suceder eso? ¿Por qué me sucedió a mí?

Una amiga, intentando consolarla, le dijo:

—Quizá Dios está tratando de enseñarte una lección. Quizás intenta decirte que no quiere que seas rica. No quiere que seas una empresaria exitosa que se pasa la vida haciendo cuentas y viajando al Lejano Oriente para comprar objetos. Desea que pongas tus energías en otra cosa, y este es Su modo de transmitirte Su mensaje.

Un maestro contemporáneo utilizó la siguiente imagen: si un hombre que no supiera nada de medicina entrara en el quirófano de un hospital y viera a médicos y enfermeras realizando una operación, podría suponer que se trata de una banda de criminales torturando a una víctima desafortunada. Vería que atan al paciente, le colocan un cono sobre la nariz y boca para que no pueda respirar y lo atraviesan con cuchillos y agujas. Solamente alguien que comprendiera la cirugía sabría que están haciendo todo eso para ayudarlo, no para atormentarlo. Así también, se sugiere, Dios nos hace cosas dolorosas para ayudarnos.

Consideremos el caso de Ron, un farmacéutico joven que dirigía una farmacia con un socio mayor que él. Cuando Ron se incorporó al negocio, su colega le dijo que había sufrido varios robos a manos de drogadictos jóvenes que buscaban drogas y dinero. Un día, cuando Ron estaba a punto de cerrar, un adolescente drogadicto lo encañonó con un revólver de pequeño calibre y le pidió que le entregara drogas y el dinero. Ron prefería perder las ganancias del día antes que intentar convertirse en héroe. Se dirigió hacia la caja registradora; le temblaban las manos. Al darse vuelta, tropezó y extendió la mano hacia el mostrador para sostenerse. El ladrón pensó que estaba buscando un arma y disparó. La bala atravesó el abdomen de Ron y se alojó en su médula espinal. Los médicos la extirparon pero el daño era irreparable. Ron no volvería a caminar jamás.

Sus amigos trataron de consolarlo. Algunos sostuvieron su mano y se compadecieron de él. Otros le hablaron de drogas experimentales que los médicos empleaban para tratar a los parapléjicos, o de recuperaciones espontáneas milagrosas acerca de las cuales habían leído. Otros intentaron ayudarlo a comprender lo que le había sucedido, y a responder a su pregunta: "¿Por qué a mí?"

—Tengo que creer —le dijo un amigo— que todo lo que pasa en la vida, pasa con un propósito. De algún modo, todo lo que nos pasa es por nuestro propio bien. Míralo de este modo. Siempre fuiste un tipo bastante engreído, eras popular con las mujeres, tenías autos llamativos y plena confianza en que ganarías mucho dinero. Nunca te paraste a pensar en las personas que no podían seguirte el ritmo. Quizás este sea el modo en que Dios te está enseñando una lección, haciéndote más considerado, más sensible frente a los demás. Quizás este sea el modo en que Dios te está purgando de tu orgullo y arrogancia por pensar que tendrías muchísimo éxito. Es el modo que emplea Él para convertirte en una persona mejor y más sensible.

El amigo deseaba consolarlo, dar sentido a ese accidente sin sentido. Pero si usted fuera Ron, ¿cuál hubiera sido su reacción? Ron recuerda que si no hubiera estado confinado a una cama de hospital, le habría dado un buen puñetazo a su amigo. ¿Qué derecho tenía una persona sana y normal —una persona que al poco rato estaría manejando su auto de regreso a casa, subiendo escaleras, disponiéndose a jugar un partido de tenis— a decirle que lo que le había pasado era bueno, era por su bien?

El problema de una línea de razonamiento como ésa es que, en realidad, no tiene por objeto ayudar al que sufre o explicar su sufrimiento. Está destinada, fundamentalmente, a defender a Dios, a utilizar palabras e ideas para transformar lo malo en bueno y el dolor en un privilegio. Esas respuestas están pensadas por personas que creen firmemente que Dios es un padre amoroso que controla lo que nos sucede, y sobre la base de esa convicción adaptan e interpretan los hechos para que concuerden con su idea. Quizá sea cierto que los cirujanos atraviesan a la gente con cuchillos para ayudarla, pero no todos los que atraviesan a la gente con cuchillos son cirujanos. Quizá sea cierto que algunas veces debemos hacer cosas dolorosas a las personas que amamos por su propio beneficio, pero no por eso todas las cosas dolorosas que nos suceden son beneficiosas.

A mí me resultaría más fácil creer que experimento una tragedia y sufrimiento a fin de "corregir" una carencia de mi personalidad si existiera alguna relación clara entre la carencia y el castigo. El padre que castiga a su hijo por haber hecho algo malo, pero no le dice por qué lo castiga, no es un modelo de paternidad responsable. Sin embargo, las personas que explican el sufrimiento como el modo en que Dios nos enseña que debemos cambiar, nunca pueden especificar qué aspecto de nuestra personalidad debemos cambiar.

También sería inútil la explicación de que el accidente de Ron no sucedió para que *él* fuera una persona más sensible, sino para que sus amigos y familiares fueran más sensibles a los problemas de los discapacitados de lo que hubieran sido en otras circunstancias. Quizá, las mujeres dan a luz niños enanos o retrasados como parte del plan de Dios para engrandecer y profundizar sus almas, para enseñarles compasión y una clase de amor diferente.

Todos nosotros hemos leído historias de niños pequeños a quienes se dejó solos un instante y cayeron desde una ventana o dentro de una piscina, y fallecieron. ¿Por qué permite Dios que le pase algo así a un niño inocente? No puede ser para enseñarle una lección acerca del reconocimiento de áreas nuevas pues para el momento en que la lección termina, el niño está muerto. ¿Será para enseñarles a los padres y niñeras que sean más cuidadosos? Es una lección muy trivial como para enseñarla a costa de la vida de un niño. ¿Será para convertir a los padres en personas más sensibles, más compasivas, para que valoren más la vida y la salud debido a su experiencia? ¿Será para inducirlos a trabajar para crear normas de seguridad mejores y de ese modo salvar cientos de vidas en el futuro? El precio no deja de ser demasiado elevado, y el razonamiento muestra muy poca consideración por el valor de una vida individual. Me siento injuriado por las personas que sugieren que Dios crea niños retrasados para que los que los rodean aprendan a ser compasivos y agradecidos. ¿Por qué habría Dios de distorsionar a tal punto la vida de otra persona para ampliar la sensibilidad espiritual de otro?

Si no podemos explicar satisfactoriamente el sufrimiento, afirmando que recibimos lo que nos merecemos o considerándolo una "cura" para nuestras faltas, ¿podemos aceptar la interpretación de que una tragedia es una prueba? Se insta a muchos padres de niños moribundos a que lean el vigésimo segundo capítulo del Libro del *Génesis* en la idea de que los ayudará a comprender y aceptar su infortunio. En ese capítulo, Dios le ordena a Abraham que le ofrezca a su hijo Isaac, a quien ama, como un sacrificio humano. El capítulo comienza con las palabras: "Después de estos acontecimientos, Dios puso a prueba a Abraham". Dios hizo que Abraham soportara esa ordalía para probar su lealtad y la fuerza de su fe. Cuando pasó la prueba, Dios le prometió que lo recompensaría ampliamente por la fortaleza que había demostrado.

Para aquellos que no aceptan la noción de un Dios que somete a juegos sádicos a Su seguidor más fiel, los partidarios de esta opinión explican que Dios conoce el final de la historia. Sabe que pasaremos la prueba, como lo hizo Abraham, con nuestra fe intacta (aunque en el caso de Abraham, el niño no murió).

Él nos pone a prueba para que *nosotros* descubramos nuestra propia fortaleza y fe.

El *Talmud*, la recopilación de las enseñanzas de los rabinos entre los años 200 antes de Cristo y 500 después de Cristo, explica la prueba de Abraham del siguiente modo: Cuando vamos al mercado, vemos que el alfarero golpea sus vasijas de arcilla con un palo para demostrar que son fuertes y sólidas. Pero el alfarero sabio golpea solamente las vasijas más fuertes, jamás las débiles. Así también, Dios envía esas pruebas e infortunios solamente a las personas que sabe capaces de sobrellevarlos, de tal modo que ellas y los demás puedan conocer la magnitud de su fortaleza espiritual.

Yo fui padre de un niño discapacitado durante catorce años hasta que murió. No hallé consuelo en la noción de que Dios me había elegido porque reconocía una fortaleza espiritual especial en mi interior y sabía que yo podría sobrellevarlo mejor. Eso no me hizo sentir "privilegiado" ni tampoco me ayudó a comprender por qué Dios debe enviar niños discapacitados a cientos de miles de familias confiadas cada año.

La escritora Harriet Sarnoff Schiff volcó su dolor y tragedia en un libro excelente: *The Bereaved Parent* (El padre desconsolado). Recuerda que cuando su joven hijo falleció durante una operación para corregir una falla congénita en su corazón, su clérigo la llevó aparte y le dijo:

—Sé que este momento es muy doloroso para usted. Pero sé que podrá superarlo porque Dios nunca nos da más de lo que podemos soportar. Dios ha permitido que esto le suceda porque sabe que es lo suficientemente fuerte como para sobrellevarlo.

Harriet Schiff recuerda que su reacción ante esas palabras fue: "Si yo fuera una persona más débil, Robbie seguiría con vida".

¿Puede Dios "acomodar el viento a la oveja esquilada"? ¿Nunca nos pide más de lo que podemos soportar? Mi experiencia me indica lo contrario. He visto a personas derrumbarse bajo la presión de una tragedia insoportable. He visto matrimonios deshacerse después de la muerte de un hijo porque los padres se culpaban uno a la otra y viceversa por no tomar los recaudos adecuados o por transmitirle el gen defectuoso o simplemente porque los recuerdos que compartían eran insoportablemente dolorosos. He visto que el sufrimiento hizo más nobles y sensibles a algunas personas pero llenó de cinismo y amargura a muchísimas más. He visto personas que se volvían celosas de los que las rodeaban porque podían participar en la rutina de la vida normal. He visto que el cáncer y los accidentes automovilísticos se cobraron la vida de un miembro de una familia y terminaron funcionalmente las vidas de otros cinco que jamás volverían a ser normales y alegres como antes de que el desastre los golpeara. Si Dios nos está probando, ya debería saber que muchos de nosotros no vamos a pasar la prueba. Si sólo nos está dando la carga que podemos sobrellevar, lo he visto calcular mal con demasiada frecuencia.

Cuando todo lo demás falla, algunas personas tratan de explicar el sufrimiento creyendo que llega para liberarnos del dolor del mundo y llevarnos a un lugar mejor. Cierto día, recibí un llamado telefónico por el cual me informaban que un niñito de cinco años de nuestro barrio corrió tras una pelota hasta la calle, lo atropelló un auto y falleció. Yo no conocía al niño; su familia no formaba parte de la congregación. Pero varios niños de la congregación lo conocían y acostumbraban jugar con él. Sus madres concurrieron al funeral y algunas de ellas me contaron después lo que había sucedido.

En la elegía, el clérigo de la familia dijo:

—Este no es un momento de tristeza ni lágrimas. Es un momento de alegría, porque Michael fue llevado de este mundo de pecado y dolor con su alma inocente limpia de pecado. Ahora está en un mundo más feliz, donde no existe el dolor ni la pena; demos gracias a Dios por ello.

Al oírlo, sentí mucha pena por los padres de Michael. No sólo habían perdido a un hijo en forma inesperada sino que, además, el representante de su religión les decía que debían alegrarse de que hubiera muerto tan pequeño e inocente. A mí no me parecía que pudieran sentirse muy alegres en ese momento. Estaban dolidos, enojados, consideraban que Dios había sido injusto con ellos pero el vocero de Dios les decía que debían estar agradecidos por lo que les había pasado.

Algunas veces, cuando nos negamos a admitir que existe injusticia en el mundo, intentamos persuadirnos de que lo que pasó no fue malo realmente. Que nosotros pensamos que lo es y es nuestro pensamiento el que lo hace malo. Nuestro egoísmo nos hace llorar porque el pequeño Michael está con Dios en lugar de vivir con nosotros. Algunas veces, en nuestra astucia, intentamos persuadirnos de que aquello a lo que llamamos mal no es real, no existe realmente, es sólo una condición de carencia de la bondad suficiente, así como "frío" significa "sin calor suficiente", u oscuridad es el nombre que damos a la falta de luz. De ese modo, podemos "probar" que en realidad no existe la oscuridad o el frío, pero la gente tropieza y se lastima debido a la oscuridad y muere cuando está expuesta al frío. Esa muerte y esas heridas no son menos reales debido a nuestra astucia verbal.

Otras veces, como nuestras almas anhelan justicia, como deseamos desesperadamente creer que Dios será justo con nosotros, nos aferramos a nuestra idea de que la vida en este mundo no es la única realidad. Después de esta vida existe otro mundo en el cual "los últimos serán los primeros" y donde aquellos cuyas vidas fueron breves en la Tierra se reunirán con sus seres amados y pasarán la eternidad junto a ellos.

Ni yo ni ninguna otra persona viva puede saber nada acerca de la realidad de esa esperanza. Sabemos que nuestros cuerpos físicos se descomponen después de nuestra muerte. Creo firmemente que esa parte nuestra que no es física y que llamamos el alma o la personalidad no muere ni puede morir. Pero no tengo capacidad para imaginar el aspecto que tiene un alma sin cuerpo. ¿Podremos reconocer en las almas incorpóreas a las personas que conocimos y amamos? El hombre que perdió a su padre cuando contaba poca edad y después llegó a una edad avanzada, ¿parecerá mayor, menor o de la misma edad que su padre en el otro mundo? ¿Serán normales las almas de los retrasados o irascibles, en el Cielo?

Las personas que han estado próximas a la muerte y se recuperaron cuentan que vieron una luz brillante, que sintieron los recibía una persona fallecida que habían amado. Después de la muerte de nuestro hijo, nuestra hija soñó que había muerto y que su hermano, que tenía una estatura normal, la recibía en el Cielo junto con su abuela (que había fallecido el año anterior). No es necesario afirmar que no hay modo de saber si esas visiones son indicios de la realidad o productos de nuestra propia imaginación.

Creer en un mundo donde los inocentes reciben una recompensa por sus sufrimientos puede ayudar a la gente a sobrellevar la injusticia de la vida en este mundo sin perder la fe. Pero también puede ser una excusa para no preocuparse o enfurecerse por la injusticia que nos rodea y para no emplear la inteligencia que Dios nos dio con el objeto de hacer algo al respecto. El dictado de la sabiduría práctica para aquellos que se encuentran en nuestra situación debería ser tener siempre presente la posibilidad de que nuestra vida continúe en cierta forma después de la muerte, quizá de un modo que nuestra imaginación terrenal no puede concebir. Pero al mismo tiempo, puesto que no podemos estar completamente seguros, sería conveniente que tomáramos este mundo con la mayor seriedad posible y buscáramos las respuestas y justicia en él, en caso de que resulte ser el único que tengamos.

Todas las respuestas a la tragedia que hemos considerado tienen, por lo menos, un aspecto en común. Todas suponen que Dios es la causa de nuestro sufrimiento e intentan comprender por qué Dios quiere que suframos. ¿Es por nuestro propio bien o un castigo que nos merecemos, o será que a Dios no le importa lo que nos pasa? Muchas de las respuestas son sensatas e imaginativas pero ninguna totalmente satisfactoria. Algunas nos llevan a culparnos para proteger la reputación de Dios. Otras nos piden que neguemos la realidad o reprimamos nuestros verdaderos sentimientos. Nos hacen odiarnos por merecer ese destino u odiar a Dios por enviárnoslo, a pesar de que no nos lo merecíamos.

Pero puede haber otro enfoque. Quizá Dios no causa nuestro sufrimiento. Quizá no sucede por voluntad de Dios sino por otras razones. El salmista escribe: "Levanto mis ojos a las montañas: ¿de dónde me vendrá la ayuda? La ayuda me viene del Señor, que hizo el cielo y la tierra". (Salmo 121:1-2) No dice: "Mi dolor viene del Señor" ni "mi tragedia viene del Señor". Dice: "la ayuda me viene del Señor".

¿No es posible que Dios no cause las cosas malas que nos suceden? ¿No es posible que Él no decida qué familias darán a luz un niño discapacitado, que Él no haya dispuesto que Ron quedara lisiado debido a una bala o Helen, a una enfermedad degenerativa, sino por el contrario que Él esté dispuesto a ayudarlos y ayudarnos a sobrellevar nuestras tragedias si logramos superar los sentimientos de culpa e ira que nos separan de Él? ¿No será que "¿Por qué Dios me hizo esto a mí?" no es, en realidad, la pregunta que debemos formularnos?

El estudio más profundo y completo del sufrimiento humano que encontramos en la Biblia, y quizás en toda la literatura, es el Libro de Job. A continuación, nos abocaremos al examen de ese libro.

2

LA HISTORIA DE UN HOMBRE LLAMADO JOB

Hace alrededor de dos mil quinientos años, vivió un hombre cuyo nombre no conoceremos jamás, un hombre que enriqueció la mente y la vida de los seres humanos. Era un hombre sensible que veía que la gente buena enfermaba y moría alrededor de él, mientras los ricos y egoístas prosperaban. Oyó todos los intentos eruditos, inteligentes y piadosos por explicar la vida y estaba tan insatisfecho con ellos como nosotros en la actualidad. Como era una persona con grandes dotes literarias e intelectuales, escribió un largo poema filosófico acerca de las razones por las cuales Dios permite que le sucedan cosas malas a la gente buena. Ese poema está incluido en la Biblia bajo el nombre de: El Libro de Job.

Thomas Carlyle dijo que el Libro de Job es "el poema más maravilloso de todas las épocas y todos los idiomas; nuestro primer intento, y el más antiguo, por hallar una respuesta al problema eterno: el destino del hombre y la voluntad de Dios para con él aquí en la Tierra... No se ha escrito nada que posea un mérito literario similar dentro o fuera de la Biblia".

El Libro de Job me fascinó desde que me enteré de su existencia y lo he estudiado, releído y enseñado muchísimas veces. Se ha dicho que, así como todos los actores desean representar a Hamlet, todos los estudiantes de la Biblia desean escribir un comentario sobre el Libro de Job. Es un libro difícil de comprender, profundo y hermoso, sobre el tema más profundo: la razón por la cual Dios permite que sufra la gente buena. Es difícil seguir su argumento porque, a través de algunos de los personajes, el autor presenta opiniones que él probablemente no aceptaba y, además, porque está redactado en un hebreo elegante cuya traducción es muy compleja miles de años después. Si comparamos dos traducciones al inglés de este libro, podemos preguntarnos con todo derecho si corresponden al mismo libro. Uno de los versos clave puede traducirse como "Temeré a Dios" o "No temeré a Dios", y es imposible saber con certeza cuál de los dos sentidos quiso darle el autor. La conocida declaración de fe: "Sé que mi Redentor vive" también puede significar "Preferiría ser redimido cuando aún estoy vivo". Pero la mayor parte del libro es clara y contundente y, para el resto, podemos utilizar nuestras habilidades interpretativas.

¿Quién fue Job y de qué trata el libro que lleva su nombre? Los estudiosos creen que hace muchos, muchos años debe de haber existido una historia popular muy difundida, una especie de fábula con moraleja relatada para reforzar los sentimientos religiosos de la gente, acerca de un hombre piadoso llamado Job. Job era tan bueno, tan perfecto que uno comprende de inmediato que no está leyendo acerca de una persona real. Se trata de un cuento acerca de un hombre bueno que padeció sufrimientos.

Un día, relata la historia, Satán compareció ante Dios para contarle sobre las cosas pecaminosas que la gente estaba haciendo en la Tierra. Entonces, Dios le dijo: "¿Has visto a Mi siervo Job? No hay nadie como él en la Tierra, un hombre profundamente bueno que no peca jamás". Y Satán le respondió a Dios: "Por supuesto, Job es piadoso y obediente. Y tú lo premias derramando riquezas y bendiciones sobre él. Quítale esas bendiciones y verás cuánto tiempo continúa siendo Tu siervo obediente".

Dios acepta el desafío de Satán. Sin informarle a Job lo que está sucediendo, destruye su casa y ganado y mata a sus hijos. Cubre el cuerpo de Job con furúnculos y convierte cada instante de su vida en una tortura física. La esposa de Job le insiste para que maldiga a Dios, aunque eso pueda significar que Dios lo fulmine. Dios no puede hacerle nada peor de lo que ya le ha hecho, le dice. Tres amigos van a consolarlo y ellos también le aconsejan que abandone su piedad, habiendo cuenta de las recompensas que le ha dado. Pero Job permanece firme en su fe. Nada de lo que le suceda puede hacerlo abandonar su devoción a Dios. Finalmente, Dios aparece, reprende a los amigos por sus consejos y recompensa a Job por su fidelidad. Le da una casa nueva, una fortuna nueva y nuevos hijos. La moraleja de la historia es ésta: cuando lleguen tiempos difíciles, no te sientas tentado a abandonar tu fe en Dios. Él tiene razones para hacer lo que hace y si te aferras a tu fe el tiempo suficiente, Dios te recompensará por tus sufrimientos.

A través de las generaciones, seguramente muchos escucharon esa historia. Algunos, indudablemente, hallaron consuelo en ella. Otros callaron sus dudas y quejas por vergüenza. A nuestro autor anónimo, la historia lo inquietaba. ¿En qué clase de Dios nos quiere hacer creer esa historia? ¿Un Dios que mata niños inocentes e inflige sufrimientos insoportables a Su seguidor más devoto para probar algo, para ganarle una apuesta a Satán? ¿Qué clase de religión trata de imponernos la historia: una religión que se deleita en la obediencia ciega y afirma que es pecaminoso protestar contra la injusticia? El escritor estaba tan disgustado con esa fábula antigua y piadosa que la dio vuelta y la reformuló en forma de poema filosófico en el cual las posiciones de los personajes se invierten. En el poema, Job *se queja* contra Dios, y sus amigos sostienen la teología convencional, la idea de que "los justos no sufren ningún mal". En un esfuerzo por consolar a Job, cuyos hijos han muerto, cuyo cuerpo sufre con los furúnculos, los tres amigos expresan todas las ideas tradicionales y piadosas. En esencia, predican el punto de vista incluido en la fábula original de Job: No pierdas la fe a pesar de estas calamidades. Tenemos un Padre amoroso en el Cielo y Él se ocupará de que los justos prosperen y los malvados reciban su castigo.

Job, que probablemente empleó esas mismas palabras muchísimas veces para consolar a otras personas, comprende por primera vez que son huecas y ofensivas. ¡¿Qué quieren decir cuando afirman que Él se ocupará de que los justos prosperen y los malvados reciban su castigo?! ¿Implican que mis hijos eran malvados y por eso murieron? ¿Están diciendo que yo soy malvado y que por eso me está pasando esto? ¿Cuál fue mi error? ¿Qué hice yo que fuera peor que lo que hicieron ustedes, y por lo cual deba sufrir un destino peor?

Los amigos se sorprenden por su estallido. Le responden diciendo que una persona no puede esperar que Dios le diga por qué lo castiga. (En cierto punto, uno de los amigos dice, en efecto: "¿qué esperas de Dios, un informe detallado de todas las veces que mentiste o ignoraste a un mendigo? Dios está demasiado ocupado dirigiendo el mundo como para invitarte a revisar Sus registros con Él".) Sólo podemos suponer que nadie es perfecto y que Dios sabe lo que hace. Si no lo hacemos, el mundo se convierte en un caos en el cual es imposible vivir.

Y la discusión continúa. Job no pretende ser perfecto, pero afirma que se esforzó, más que muchos, por vivir en forma buena y decente. ¿Cómo es posible que Dios sea un Dios afectuoso si está espiando constantemente a la gente, listo para saltar sobre cualquier imperfección en un registro, aunque éste siempre haya sido bueno, y utilizarla para justificar el castigo? ¿Y cómo es posible que Dios sea un Dios justo si tanta gente mala no recibe castigos tan horribles como el de Job?

El diálogo se vuelve acalorado, inclusive agresivo. Los amigos le dicen: Job, en realidad nos habías engañado. Creíamos que eras tan piadoso y religioso como nosotros. Pero ahora vemos que arrojas la religión por la borda ante la primera cosa desagradable que te sucede. Eres orgulloso, arrogante, impaciente y blasfemo. No es de extrañar que Dios te haga esto. Tu actitud es la prueba de que los seres humanos pueden engañarse acerca de quién es un santo y quién un pecador, pero no es posible engañar a Dios.

Después de tres ciclos de diálogo en los cuales presenciamos alternativamente las quejas de Job y la defensa de Dios hecha por sus amigos, el libro llega a su clímax atronador. El autor, brillantemente, hace que Job utilice un principio del derecho penal bíblico: si un hombre es acusado de un delito sin pruebas, puede prestar un juramento afirmando su inocencia. En esa instancia, aquel que lo acusa debe presentar pruebas en su contra o retirar los cargos. En una declaración larga y elocuente que ocupa los capítulos 29 y 30 del libro bíblico, Job jura que es inocente. Afirma que jamás descuidó a los pobres, nunca tomó nada que no le perteneciera, jamás alardeó de su riqueza ni se alegró del infortunio de sus enemigos. Desafía a Dios a que produzca las pruebas o admita que Job está en lo cierto y ha sufrido injustamente.

Y Dios aparece.

Llega una terrible tormenta de viento desde el desierto y Dios responde a Job desde un torbellino. El caso de Job es tan apremiante, su desafío tan poderoso, que Dios mismo baja a la Tierra para responderle. Pero es difícil comprender la respuesta de Dios. No habla en modo alguno del caso de Job, no hace un detalle de los pecados de Job ni explica sus sufrimientos. Por el contrario, le dice a Job: ¿qué sabes tú acerca del modo en que se dirige un mundo?

¿Dónde estabas cuando yo fundaba la Tierra? Házmelo saber, si tienes inteligencia.

¿Quién fijó las medidas de la Tierra? ¿Lo sabes acaso?

¿Quién tendió sobre ella la cuerda para medir?...
¿Quién encerró con dos puertas al mar?...
Yo tracé un límite alrededor de él,
le puse cerrojos y puertas,
y le dije: "Llegarás hasta aquí y no pasarás".
¿Has penetrado hasta los depósitos de la nieve,
has visto las reservas del granizo?...
¿Observas el parto de las ciervas?...
¿Le das tú la fuerza al caballo?...
¿Es por tu inteligencia que se cubre de plumas el halcón
y despliega sus alas hacia el sur?

(*Job* 38, 39)

Y entonces le responde un Job diferente, diciendo: "Me cubro la boca con las manos. Ya he hablado demasiado; ahora no diré nada más".

El Libro de Job es, probablemente, el tratado más completo, profundo y extraordinario que se haya escrito acerca del tema del sufrimiento de la gente buena. Su grandeza reside, en parte, en el hecho de que el autor fue escrupulosamente justo con todos los puntos de vista, inclusive con aquellos que no aceptaba. Si bien es evidente que simpatiza con Job, los discursos de sus amigos están tan bien elaborados y escritos como las palabras de su héroe. Eso lo convierte en una gran obra literaria pero también dificulta la comprensión del mensaje. Cuando Dios dice: "¿Cómo te atreves a cuestionar el modo en que dirijo mi mundo? ¿Qué sabes tú acerca del modo en que se dirige un mundo?", ¿debe tomarse como la última palabra sobre el tema o es sólo una paráfrasis más de la piedad convencional de su época?

Para tratar de comprender el libro y su respuesta a

nuestro problema, tomemos nota de los tres enunciados que todos los personajes del libro, y la mayoría de los lectores, desearían poder creer:

A. Dios es omnipotente y causa todo lo que sucede en el mundo. No sucede nada sin que Él lo desee.

B. Dios es bueno y justo, y se preocupa por que la gente reciba su merecido, desea que los justos prosperen y los malvados reciban su castigo.

C. Job es una buena persona.

En tanto Job conserva la salud y riqueza, podemos creer sin dificultad los tres enunciados al mismo tiempo. Cuando Job sufre, cuando pierde sus posesiones, familia y riqueza, se nos presenta un problema. Ya no podemos aceptar los tres enunciados a la vez. Sólo podemos afirmar dos de ellos si negamos el tercero.

Si Dios es omnipotente y justo, entonces Job debe de ser un pecador que se merece lo que le sucede. Si Job es bueno pero Dios lo hace sufrir, entonces Dios no es justo. Si Job se merece algo mejor y Dios no causó sus sufrimientos, entonces Dios no es omnipotente. Podemos considerar la discusión del Libro de Job como una discusión acerca de cuál de los tres enunciados estamos dispuestos a sacrificar a fin de poder continuar creyendo en los otros dos.

Los amigos de Job están dispuestos a dejar de creer en C, es decir, en que Job es una buena persona. Quieren creer en Dios tal como les enseñaron a hacerlo. Quieren creer que Dios es bueno y que controla las cosas. Y el único modo en que pueden hacerlo es convenciéndose de que Job se merece lo que le sucedió.

Al comienzo, desean sinceramente consolar a Job y hacerlo sentir mejor. Tratan de afirmar su fe citando todas las máximas de fe y confianza que les inculcaron desde siempre tanto a ellos como a Job. Desean consolar a Job diciéndole que el mundo tiene sentido, que no es un lugar caótico e incomprensible. Pero no comprenden que el único modo en que pueden encontrarle sentido al mundo y al sufrimiento de Job, es con la conclusión de que su amigo se merece sus padecimientos. Afirmar que todo tiene solución en el mundo de Dios puede servir de consuelo a un simple espectador, pero es un insulto para los desafortunados, para los que sufren la pérdida de un ser querido. "Alégrate, Job, nadie recibe nada que no se merezca", no es un mensaje muy alentador para alguien en la posición de Job.

Sin embargo, esos amigos no pueden decir otra cosa a Job. Ellos creen en la bondad y el poder de Dios y quieren continuar creyendo. El problema es que si Job es inocente, entonces Dios tiene que ser culpable, culpable de hacer sufrir a un hombre inocente. En esas circunstancias, les resulta más fácil dejar de creer en la bondad de Job que en la perfección de Dios.

También podemos decir que los amigos tal vez no puedan ser objetivos acerca de lo que le pasó a Job. Las ideas que expresan tal vez son confusas debido a las reacciones de culpa, y también de alivio que sienten surgir en ellos cuando piensan que esas desgracias pudieron haberles sucedido a ellos. En psicología, se emplea la expresión en alemán *Schadenfreude* para describir la reacción vergonzosa de alivio que experimentamos cuando le sucede algo malo a otra persona en lugar de a nosotros. El soldado que en la batalla ve morir a su amigo a veinte metros de distancia mientras que él no recibe ni un rasguño y el alumno que ve que castigan a otro niño por copiarse en un examen no desean el mal a sus amigos pero no pueden evitar sentir un espasmo vergonzoso de gratitud porque no les pasó a ellos. Ellos, como los amigos que trataban de consolar a Ron o a Helen, escuchan una voz interior que les dice: "Podría haberme pasado a mí", y tratan de silenciarla diciendo: "No, no es cierto. Hay una razón por la cual le pasó a él (o a ella) y no a mí".

Este rasgo psicológico funciona en todos los campos: se culpa a la víctima para que el mal no resulte tan irracional y amenazante. Si los judíos se hubieran comportado de otro modo, Hitler no hubiera sentido la compulsión de asesinarlos. Si la joven no se hubiese vestido en forma provocativa, el hombre no la hubiese atacado. Si la gente trabajara con más empeño, no sería pobre. Si la sociedad no provocara a los pobres publicitando cosas que no pueden pagar, ellos no robarían. Culpar a la víctima es un modo de convencernos de que el mundo no es tan malo como parece, de que existen buenas razones para que la gente sufra. A la gente afortunada le hace bien creer que su buena fortuna es algo merecido en lugar de una simple cuestión de suerte. Todos se sienten mejor con esa idea, excepto la víctima, que tiene que soportar el abuso de la condena social además de su desgracia original. Ese es el enfoque de los amigos de Job y, si bien puede solucionar su propio problema, no solucionan el de Job ni el nuestro.

Job, por su parte, no está dispuesto a admitir que

es un villano para mantener la unidad teológica del mundo. Sabe muchas cosas intelectualmente hablando pero tiene una seguridad más profunda: está absolutamente convencido de que no es una mala persona. Quizá no sea perfecto pero, según cualquier norma moral inteligible, no es peor que otros y no merece perder su hogar, sus hijos, su riqueza y su salud mientras otras personas los conservan. Por otra parte, no está dispuesto a mentir para salvar la reputación de Dios.

La solución de Job es rechazar el enunciado (B), la afirmación de la bondad de Dios. Job es, en realidad, un buen hombre, pero Dios es tan poderoso que no está limitado por consideraciones de igualdad y justicia.

Un filósofo lo diría de este modo: Dios puede *elegir* ser equitativo y darle a una persona lo que merece, castigando a los malvados y recompensando a los justos. ¿Pero podemos afirmar con lógica que un Dios todopoderoso está *obligado* a ser equitativo? ¿Seguiría siendo todopoderoso si nosotros, viviendo en la virtud, pudiéramos *obligarlo* a protegernos y recompensarnos? ¿O quedaría reducido a una especie de máquina expendedora cósmica, en la cual insertamos la cantidad correcta de cospeles para obtener lo que deseamos (con la opción de patear y maldecir a la máquina si no nos da el producto por el cual pagamos)? Según cuentan, un sabio de la antigüedad se regocijó ante la injusticia del mundo diciendo: "Ahora puedo hacer la voluntad de Dios por amor a Él y no por mi propio interés". Es decir, que podía ser una persona moral y obediente nada más que por amor a Dios y no porque ser moral y obediente reportara como recompensa una buena fortuna. Podía amar a Dios aunque Dios, a su vez, no lo amara. El problema de esa respuesta es que trata de promover la justicia y la equidad y al mismo tiempo intenta ensalzar a Dios como un ser cuya grandeza lo pone por encima de las limitaciones de la justicia y la equidad.

Job considera que Dios está por encima de la noción de equidad, que es tan poderoso que las normas morales no se Le aplican. Dios se presenta como un potentado oriental con poder ilimitado sobre la vida y propiedad de sus servidores. Y, en realidad, la antigua fábula de Job retrata a Dios de ese modo, como una deidad que castiga a Job sin ningún fundamento moral a fin de probar su lealtad, y que considera que después lo "compensa" al recompensarlo generosamente. El Dios de la fábula, que durante muchas generaciones fue considerado una figura digna de veneración, es muy similar a un rey anciano (inseguro) que recompensa a la gente por su lealtad en lugar de hacerlo por su bondad.

Por consiguiente, Job desea constantemente que exista un árbitro para mediar entre él y Dios, alguien a quien Dios también tenga que dar explicaciones. El problema es que cuando se trata de Dios, admite con pesar, no existen reglas. "Si Él arrebata una presa, ¿quién se lo impedirá? ¿Quién le preguntará qué hace?" (*Job* 9-12)

¿Cómo comprende Job su desgracia? Él dice que vivimos en un mundo injusto y no podemos esperar que sea equitativo. Existe Dios, pero Dios está libre de las limitaciones de la justicia y la equidad.

¿Y el autor anónimo del libro? ¿Cuál es su respuesta personal al acertijo de las injusticias de la vida? Como ya dije, es difícil saber qué pensaba, entender qué solución tenía en mente cuando se dispuso a escribir su libro. Uno tiene la impresión de que su respuesta está en boca de Dios cuando Él habla desde el torbellino, porque ése es el momento culminante del libro. ¿Pero qué significa esa respuesta? ¿Acaso sólo que Job se queda sin argumentos al descubrir que existe un Dios, que realmente hay alguien allá arriba que controla la situación?

El problema con esa respuesta es que Job jamás lo dudó. La simpatía, responsabilidad y equidad de Dios eran las que estaban en duda, no Su existencia. ¿O será que lo que dice el autor es que Dios es tan poderoso que no necesita explicarse ante Job? Pero eso es exactamente lo que decía Job a lo largo del libro: Dios existe y es tan poderoso que no está obligado a ser equitativo. ¿Qué nuevo conocimiento presenta el autor al hacer aparecer y hablar a Dios, si eso es todo lo que Él tiene que decir? Y, ¿por qué Job se disculpa si, en definitiva, Dios parece coincidir con él?

¿Acaso Dios está diciendo, como sugieren algunos comentaristas, que tiene otras preocupaciones en mente además del bienestar de un ser humano individual cuando toma decisiones que afectan nuestras vidas? ¿Se refiere a que, desde nuestro punto de vista humano, nuestras enfermedades y quebrantos económicos son lo más importante pero desde el punto de vista de Dios hay cosas mucho más importantes en que poner Su mente? Si decimos que sí a esta pregunta, estamos diciendo que la moralidad de la Biblia, con su acento en la virtud humana y la santidad de la vida individual, no tiene ninguna relación con Dios y que la caridad, la justicia y la dignidad del ser humano individual no se originan en Dios. Si eso fuera cierto, muchos de nosotros nos sentiríamos tentados de abandonar a Dios y de buscar y venerar a esa otra fuente de caridad, justicia y dignidad humana.

Me permito sugerir que el autor del Libro de Job asume la posición que no asumen ni Job ni sus amigos. Él cree en la bondad de Dios y en la bondad de Job, y está dispuesto a dejar de creer en el enunciado (A): que Dios es todopoderoso. A la gente buena le suceden cosas malas en este mundo pero esas cosas no se deben a la voluntad de Dios. A Dios le agradaría que la gente obtuviera lo que se merece en la vida pero no siempre puede tomar los recaudos necesarios para conseguirlo. Obligado a elegir entre un Dios bueno que no es todopoderoso, o un Dios todopoderoso que no es totalmente bueno, el autor del Libro de Job prefiere creer en la bondad de Dios.

Es probable que los versos más importantes de todo el libro sean los que pronuncia Dios en la segunda mitad de Su discurso desde el remolino, en el capítulo 40, versículos 9-14:

¿Tienes acaso un brazo como el de Dios
y truena tu voz como la de él?
Con una mirada, doblega al arrogante,
aplasta a los malvados allí donde están.
Húndelos a todos en el polvo...
Entonces, yo mismo te alabaré
por la victoria obtenida con tu mano.

Considero que estas líneas significan: "si crees que es fácil lograr que el mundo sea recto y fiel, y evitar que le sucedan cosas injustas a la gente, entonces inténtalo *tú*". Dios desea que la vida de los justos sea tranquila y feliz, pero algunas veces ni siquiera Él puede lograrlo. Inclusive a Dios le resulta difícil evitar que la crueldad y el caos se cobren víctimas inocentes. Pero, ¿acaso el hombre podría hacerlo sin Dios?

El discurso prosigue en el capítulo 41 describiendo la batalla de Dios con el Leviatán. Con gran esfuerzo, Dios logra atraparlo con una red y sujetarlo con anzuelos, pero no le resulta fácil. Si el monstruo es un símbolo del caos y el mal, de todas las cosas incontrolables del mundo (como sucede tradicionalmente en la mitología antigua), es probable que el autor esté afirmando, allí también, que inclusive a Dios le resulta difícil controlar el caos y limitar el daño que puede causar el mal.

Las personas inocentes sufren infortunios en su vida. Les pasan cosas que no se merecen: pierden su trabajo, enferman, sus hijos sufren o los hacen sufrir a ellos. Pero cuando eso pasa, no se trata de un castigo de Dios por algo que hicieron mal. Los infortunios no provienen de Dios.

Es cierto que cuando llegamos a esta conclusión, podemos experimentar una sensación de pérdida. En cierto modo, era reconfortante creer en un Dios sabio y todopoderoso que garantizaba un trato justo y un final feliz, que nos aseguraba que todo tenía un buen motivo así como la vida era más fácil para nosotros cuando creíamos que nuestros padres eran lo suficientemente sabios como para saber qué se debía hacer y lo suficientemente fuertes como para lograr que todo saliera bien. Pero todo eso era reconfortante del mismo modo en que lo era la religión de los amigos de Job: funcionaba únicamente en tanto no tomáramos en serio los problemas de las víctimas inocentes. Cuando hemos conocido a Job, cuando hemos *sido* Job, ya no podemos creer en esa clase de Dios sin renunciar a nuestro derecho a sentir ira, a sentir que la vida nos ha tratado mal.

Desde esa perspectiva, deberíamos experimentar una sensación de alivio al llegar a la conclusión de que Dios no es el causante de nuestras desgracias. Si Dios es un Dios de justicia y no de poder, entonces aún puede estar de nuestro lado cuando nos suceden cosas malas. Él puede saber que nosotros somos buenos y honestos, que nos merecemos algo mejor. Nuestros infortunios no provienen de Él y por lo tanto, podemos recurrir a Él en busca de ayuda. Nuestra pregunta no será la pregunta de Job: "Dios, ¿por qué me haces esto?", sino "Dios, mira lo que me sucede. ¿Puedes ayudarme?" Recurriremos a Dios, no para que Él nos juzgue o nos perdone, tampoco para que nos recompense o nos castigue; recurriremos a Él en busca de consuelo y fortaleza.

Si crecimos como los amigos de Job creyendo en un Dios todopoderoso que todo lo sabe, nos costará tanto como a ellos cambiar nuestro modo de pensar acerca de Él (así como cuando éramos niños nos costó aceptar que nuestros padres no eran todopoderosos, que había que tirar un juguete roto a la basura porque ellos *no podían* arreglarlo, no porque no quisieran hacerlo). Pero si logramos aceptar que hay algunas cosas que Dios no controla, podemos sacar mucho de bueno de esa conclusión.

Podemos recurrir a Dios en busca de lo que Él puede hacer para ayudarnos en lugar de aferrarnos a expectativas poco realistas acerca de Su persona, expectativas que jamás se producirán. La Biblia, después de todo, habla repetidamente de Dios como el protector especial de los pobres, las viudas y los huérfanos, sin preguntarse las razones por las cuales se convirtieron en pobres, viudas o huérfanos.

Podemos conservar nuestra autoestima y sentido de la bondad sin sentir que Dios nos ha juzgado y condenado. Podemos sentir ira por lo que nos sucedió, sin sentir que estamos enojados con Dios. Más aún, podemos reconocer que nuestra ira por las injusticias de la vida, nuestra compasión instintiva al ver sufrir a la gente, proviene de Dios, que nos enseña a sentir ira ante la injusticia y la compasión frente a los que sufren. En lugar de sentir que estamos enfrentados con Dios, podemos sentir que nuestra indignación es la ira de Dios ante la injusticia expresándose a través de nosotros, que cuando nos lamentamos, seguimos estando del lado de Dios, y Él sigue estando de nuestro lado.

3

ALGUNAS VECES NO HAY MOTIVOS

—Si las cosas malas que nos pasan, son por mala suerte, no por voluntad de Dios —me preguntó una mujer una noche después de que dicté una conferencia sobre mi teología—, ¿de dónde viene la mala suerte?

Me quedé mudo. Instintivamente, le hubiera dicho que nada produce la mala suerte; las cosas pasan, y eso es todo. Pero sospechaba que debía de haber algo más.

Esta es, quizá, la idea filosófica clave de todo lo que sugiero en este libro. ¿Pueden ustedes aceptar la idea de que algunas cosas pasan sin razón alguna, de que existe el azar en el universo? A algunas personas eso les parece imposible. Buscan relaciones, se esfuerzan desesperadamente por encontrarle sentido a todo lo que pasa. Se convencen de que Dios es cruel, o de que ellos son pecadores, cualquier cosa antes que aceptar el azar. Algunas veces, cuando le han encontrado sentido al noventa por ciento de todo lo que saben, se permiten suponer que el diez por ciento restante también tiene sentido pero está fuera de los alcances de su comprensión. Pero, ¿por qué debemos insistir en que todo sea razonable? ¿Por qué todo tiene que pasar por una razón específica? ¿Por qué no podemos aceptar que el universo tiene algunos bordes ásperos?

Puedo llegar a comprender la razón por la que la mente de un hombre se desequilibra y lo hace tomar un arma y correr a la calle a matar a desconocidos. Quizás es veterano del ejército, perseguido por los recuerdos de las cosas que vio o hizo en combate. Quizá debió hacer frente a más frustración y rechazo de los que podía soportar en su hogar y en el trabajo. Quizá lo trataron como a una "no persona", alguien a quien no se toma en serio, y su ira se despertó diciéndole: "Voy a demostrarles que a pesar de todo soy importante".

Tomar un arma y matar gente inocente es una ac titud irracional y absurda, pero puedo comprenderla. Lo que no puedo comprender es por qué la señora Smith estaba caminando por esa calle en ese instante mientras la señora Brown decidió entrar en un negocio y salvó su vida. ¿Por qué el señor Jones estaba cruzando la calle, y era un blanco perfecto para el francotirador enloquecido, mientras el señor Green, que jamás bebe más de una taza de café en el desayuno, se rezagó bebiendo una segunda y todavía estaba dentro de su casa cuando comenzó el tiroteo? La vida de docenas de personas cambia profundamente a raíz de esas decisiones triviales, no planificadas.

Comprendo que el clima caluroso y seco, el transcurso de muchas semanas sin lluvia, aumenta el riesgo de que se produzcan incendios forestales, y que en esos casos una chispa, un fósforo o el reflejo del sol a través de un vidrio pueden convertir un bosque en un infierno. Comprendo que el curso de ese incendio estará determinado, entre otras cosas, por la dirección del viento. ¿Pero hay una explicación sensata de por qué el viento y el clima se combinan para dirigir un incendio forestal, en un día determinado, hacia ciertas casas y no otras, atrapando a algunas personas en su interior y perdonando a otras? ¿O es sólo cuestión de suerte?

Cuando un hombre y una mujer se unen para hacer el amor, el hombre eyacula millones de espermatozoides, y cada uno de ellos posee un conjunto diferente de características heredadas biológicamente. Ninguna inteligencia moral decide cuál de esos espermatozoides fertilizará el óvulo. Algunos de ellos producirán un niño con una discapacidad física o, quizás, una enfermedad fatal. Otros, no sólo le darán buena salud, sino una habilidad atlética o musical superior o una inteligencia creativa. La determinación fortuita de esa carrera moldeará por completo la vida del niño, y afectará profundamente la vida de sus padres y familiares.

Algunas veces, las vidas de muchos otros también tienen que ver con este último ejemplo. Robert y Suzanne Massie, padres de un niño hemofílico, hicieron lo que hacen la mayoría de los padres de niños enfermos: leyeron todo lo que pudieron acerca de la enfermedad de su hijo. Así se enteraron de que el único hijo varón de los zares de Rusia era hemofílico, y en *Nicolás y Alejandra*, el libro que escribió, Robert especula acerca de que la enfermedad del niño, resultado de la unión fortuita del espermatozoide "equivocado" con el óvulo "equivocado", pudo haber angustiado y distraído a sus padres afectando su capacidad para gobernar y provocando la Revolución Bolchevique. Robert sugiere que la nación con mayor población de Europa pudo haber cambiado su forma de gobierno, afectando la vida de todos los seres humanos de este siglo, debido a ese hecho genético fortuito.

Algunas personas creen ver la mano de Dios detrás de todo lo que sucede. Una vez fui al hospital a visitar a una mujer cuyo auto había sido atropellado por un conductor ebrio que pasó un semáforo en rojo. Su vehículo quedó destrozado pero ella escapó milagrosamente con sólo dos costillas rotas y unos cortes superficiales causados por los vidrios al astillarse. Me miró desde su cama y me dijo:

—Ahora sé que Dios existe. Si logré salir con vida de este accidente, tiene que ser porque Él me está cuidando desde allá arriba.

Le sonreí y guardé silencio, corriendo el riesgo de que pensara que estaba de acuerdo con ella (¿qué rabino se opondría a creer en Dios?), porque no era el lugar ni el momento para una clase de teología. Pero recordé un funeral que había llevado a cabo dos semanas antes para un padre y esposo joven fallecido en un choque similar con una persona ebria; y recordé otro caso, un niño, que estaba patinando, asesinado por un conductor que huyó después de atropellarlo; y todos los artículos periodísticos acerca de vidas truncadas en accidentes automovilísticos. La mujer que estaba frente a mí podía creer que estaba viva porque Dios deseó que sobreviviera, y no me pareció conveniente decirle lo contrario, ¿pero qué les diríamos ella o yo a esas otras familias? ¿Que son menos meritorias que ella? ¿Que son menos valiosas a los ojos de Dios? ¿Que Dios quiso que fallecieran en ese momento y de ese modo y no hizo nada por salvarlos?

¿Recuerdan nuestra discusión acerca de *El puente de San Luis Rey*, de Thornton Wilder, en el capítulo 1? Cuando cinco personas mueren al caer un puente, el hermano Juniper investiga y se entera de que cada una de ellas acababa de "solucionar" su vida. Cae en la tentación de llegar a la conclusión de que la ruptura de la soga del puente no fue un accidente sino un aspecto de la providencia Divina. Los accidentes no existen. Pero cuando las leyes de la física y la fatiga del metal hacen que se desprenda el ala de un avión, o cuando el descuido humano provoca una falla en un motor y el avión se estrella matando a doscientas personas, ¿fue por voluntad de Dios que esas doscientas personas (y no otras) estaban ese día en un avión condenado? Y si al pasajero doscientos uno se le pinchó un neumático cuando iba camino al aeropuerto y perdió el avión, protestando y maldiciendo su suerte mientras lo veía decolar sin él, ¿fue la voluntad de Dios que él viviera y los otros no? De ser así, tendríamos que preguntarnos qué clase de mensaje nos está enviando Dios con Sus actos aparentemente arbitrarios de condena y salvación.

Cuando Martin Luther King (h.) fue asesinado en abril de 1968, se hicieron muchos comentarios acerca de que ya había pasado su momento culminante como líder negro. Muchos mencionaron el discurso que había dado la noche antes de su muerte, en el cual dijo que, como Moisés, "había subido a la cima de la montaña y había visto la Tierra Prometida";

implicando que, al igual que Moisés, moriría antes de llegar a ella. En lugar de aceptar su muerte como una tragedia sin sentido, muchas personas, como el hermano Juniper de Wilder, creyeron ver pruebas de que Dios se había llevado a Martin Luther King en el momento justo, para ahorrarle la agonía de vivir el resto de su vida como alguien que "ya fue", un profeta rechazado. Yo jamás podría aceptar esa línea de razonamiento. Preferiría pensar que a Dios le preocupa no sólo el ego de un líder negro sino las necesidades de miles de millones de hombres, mujeres y niños negros. Sería difícil explicar de qué modo se beneficiaron ellos con el asesinato del doctor King. ¿Por qué no podemos aceptar que el asesinato fue una afrenta a Dios, tanto como lo fue para nosotros, y un impedimento para la concreción de Sus fines, en lugar de forzar nuestra imaginación para encontrar las huellas digitales de Dios en el arma asesina?

En la batalla, los soldados abren fuego sobre el enemigo anónimo, sin rostro. Saben que no pueden permitirse el lujo de pensar que el soldado que está del otro lado puede ser una persona agradable y decente, con una familia afectuosa que lo espera y una carrera promisoria en su lugar de origen. Los soldados saben que un proyectil veloz no tiene conciencia, que una bomba no puede discriminar entre aquellos cuya muerte sería una tragedia y aquellos a quienes nadie extrañaría. Por eso, desarrollan cierto fatalismo acerca de sus posibilidades, y hablan de la bala que lleva su nombre, de que tienen un número que se les aproxima, un número que marca su turno en cuanto a la muerte. No se ponen a pensar si *merecen* morir o no. Es por esa razón que el Ejército no envía a combatir al único hijo con vida de una familia desintegrada: sabe que no puede depender de Dios para que el resultado sea justo, del mismo modo que, hace muchos años, la Biblia ordenó que se quedaran en su hogar los hombres que acababan de contraer matrimonio o construir una casa nueva, previendo que podían morir en batalla y no regresar jamás a disfrutarlas. Los antiguos israelitas, a pesar de su profunda fe en Dios, sabían que no podían depender de Él para imponer un esquema moralmente aceptable del lugar donde irían a parar las flechas de una batalla.

Preguntémonos nuevamente: ¿siempre hay un motivo para todo, o algunas cosas suceden simplemente al azar, sin causa alguna?

La Biblia nos dice: "En el principio, Dios creó el cielo y la tierra. La tierra no tenía forma y era un caos y estaba cubierta de la oscuridad". Después Dios comenzó a hacer trabajar Su magia creativa sobre el caos, diferenciando las cosas, imponiendo orden donde antes había desorden. Separó la luz de la oscuridad, la tierra del cielo, la tierra firme del mar. Ese es el significado de la palabra crear: no se refiere a sacar algo de la nada, sino a darle un orden al caos. Un científico o un historiador creativo no crea los hechos, los ordena; ve la relación entre ellos en lugar de tomarlos como datos fortuitos. Un escritor creativo no crea palabras nuevas, ordena las palabras conocidas en estructuras que nos dicen algo novedoso.

Lo mismo sucedió en el caso de Dios, que modeló un mundo cuyo principio supremo fue el orden, la previsibilidad, en lugar del caos con el cual comenzó: amaneceres y atardeceres regulares, mareas regulares, plantas y animales con semillas y simientes para reproducirse con las características de su especie. Al finalizar el sexto día, Dios había terminado el mundo tal como deseaba que fuera y el séptimo día descansó.

Pero supongamos que Dios no terminó por completo al final del sexto día. En la actualidad, sabemos que el mundo tardó billones de años en formarse, no seis días. La historia de la Creación del Génesis es muy importante y nos transmite un mensaje, pero su estructura de seis días no debe ser tomada en forma literal. Supongamos que la Creación, el proceso de reemplazar el caos con el orden, aún continúa. ¿Cuáles serían las consecuencias de esa idea? En la metáfora bíblica de los seis días, estaríamos algo así como en la mitad de la tarde del viernes. El hombre fue creado hace pocas "horas". El mundo es, en su mayor parte, un lugar ordenado y previsible que muestra amplias pruebas de la minuciosidad y pericia de Dios pero aún quedan focos de caos. La mayoría de las veces, los acontecimientos del universo siguen las leyes naturales. Pero de vez en cuando, suceden cosas que sin oponerse a esas leyes naturales, están fuera de ellas. Suceden cosas que, con la misma facilidad, podrían haber sucedido de otro modo.

Mientras escribo, inclusive, los noticiarios informan acerca de un huracán de grandes proporciones en el Caribe. Los meteorólogos no pueden predecir si se alejará hacia el mar o arrasará las zonas costeras densamente pobladas de Texas y Louisiana. La mente bíblica vio el terremoto que destruyó Sodoma y

Gomorra como el modo en que Dios castigaba a la gente de esas ciudades por sus depravaciones. Algunos pensadores medievales y victorianos vieron la erupción del Vesubio y la destrucción de Pompeya como un modo de poner fin a la inmoralidad de esa sociedad. En la actualidad, inclusive, algunos interpretan los terremotos de California como el modo en que Dios expresa Su desagrado por los supuestos excesos homosexuales de San Francisco o los heterosexuales de Los Angeles. Pero, actualmente, la mayoría (y me incluyo) considera que un huracán, un terremoto, un volcán, no tienen conciencia. Yo no me atrevería a predecir el trayecto de un huracán tomando como base las comunidades que merecen ser destruidas y aquellas que merecen salvarse.

Un cambio en la dirección del viento o un desplazamiento en una placa tectónica puede hacer que un huracán o un terremoto avancen hacia una zona poblada en lugar de hacia una extensión deshabitada. ¿Por qué? Un cambio fortuito en las condiciones climáticas hace que llueva demasiado o muy poco sobre una zona agrícola, con lo cual se pierde la cosecha de ese año. Un conductor ebrio cruza hacia el otro carril de la carretera y choca con el Chevrolet verde en lugar de con el Ford rojo que está a un metro y medio de distancia. Un perno del motor se rompe en el vuelo 205 en lugar de en el 209, sumiendo en la tragedia a un grupo fortuito de familias en lugar de a otro. En esos hechos no hay mensaje. No existe un motivo para que sufran esas personas y no otras. Esos acontecimientos no reflejan una elección de Dios. Suceden al azar, y el azar es otro nombre del caos, eso que existe en los rincones del universo en los cuales aún no ha penetrado la luz creativa de Dios. El caos es maligno; no es erróneo ni tampoco malévolo, sino maligno, porque al causar tragedias al azar impide que la gente crea en la bondad de Dios.

Cierta vez, le pregunté a uno de mis amigos, un físico de renombre, si desde el punto de vista científico el mundo se estaba convirtiendo en un lugar más ordenado, si el azar iba en aumento o disminuía con el transcurso del tiempo. Él me respondió citando la segunda ley de termodinámica, la ley de entropía: Todo sistema, librado a sí mismo, cambiará tendiendo a aproximarse al equilibrio. Y me explicó que eso significaba que el mundo estaba cambiando en dirección a un mayor azar. Piensen en un grupo de bolitas colocadas en un frasco, ordenadas cuidadosamente por tamaño y color. Si el frasco se agita repetidamente, el orden prolijo desaparecerá gradualmente y quedará una distribución fortuita. Encontrar juntas dos bolitas del mismo color será sólo una coincidencia. Eso, me dijo, es lo que le está sucediendo al mundo. Un huracán puede virar hacia el mar, con lo cual se salvan las ciudades costeras, pero sería un error considerar que eso constituye una prueba de que existe un patrón o de que el hecho se debió a un fin predeterminado. Con el transcurso del tiempo, algunos huracanes se dirigirán hacia el mar mientras que otros soplarán sobre zonas pobladas y las arrasarán. A medida que se estudian esos fenómenos, se va descubriendo que no existe un patrón fijo.

Le dije que esperaba una respuesta diferente. Esperaba un equivalente científico al primer capítulo de la Biblia que me dijera que con cada "día" que pasaba, el reino del caos disminuiría, y mayor parte del universo quedaría bajo el imperio del orden. Mi amigo me respondió que, si me servía de consuelo, Albert Einstein tenía el mismo problema. Einstein no estaba satisfecho con la física cuántica y trató de descalificarla durante muchos años porque se basaba en la hipótesis de que las cosas sucedían al azar. Einstein prefería creer que "Dios no juega a los dados con el cosmos".

Es posible que Einstein y el Libro del Génesis estén en lo cierto. Es posible que un sistema *librado a sí mismo* evolucione en dirección al azar. Por otra parte, es probable que nuestro mundo no sea un sistema librado a sí mismo. De hecho, puede haber un impulso creativo que esté actuando sobre él, el Espíritu de Dios flotando sobre las aguas oscuras, obrando en el curso de milenios para poner orden en el caos. Aún podría suceder que, a medida que el "viernes a la tarde" de la evolución del mundo avance hacia el Gran Sábado que es el Fin de los Días, disminuya el impacto del azar maligno.

O también es posible que Dios haya finalizado Su trabajo creativo hace muchos eones y nos haya dejado el resto a nosotros. El caos residual, la suerte o la desgracia, las cosas que suceden sin motivo alguno continuarán acompañándonos, esa clase de maldad que Milton Steinberg denominó: "el andamio que aún no ha sido retirado del edificio de la creatividad de Dios". En ese caso, tendremos que aprender a vivir con él, sostenidos y consolados por la convicción de que el terremoto y el accidente, como el asesinato y el robo, no se producen por voluntad de Dios; la convicción de que representan un aspecto de la realidad independiente de Su voluntad, un aspecto que enfurece y entristece a Dios tanto como nos enfurece y entristece a nosotros.

4

NO SE HACEN EXCEPCIONES CON LA GENTE BUENA

Se cuenta una historia de un niño que regresó a su casa de la Escuela Dominical donde le habían enseñado la historia bíblica del cruce del Mar Rojo. Su madre le preguntó qué había aprendido en clase y él le respondió:

—Los israelitas huyeron de Egipto, pero el Faraón y su ejército los persiguieron. Llegaron al Mar Rojo y no podían cruzarlo. El ejército egipcio se aproximaba. Entonces Moisés se comunicó con su walkie-talkie, la fuerza aérea israelí bombardeó a los egipcios y la marina israelí construyó un puente para que la gente pudiera cruzar el mar.

La madre se quedó atónita.

—¿Así es como te contaron la historia?

—Bueno, no —admitió el niño—, pero si te la contara como nos la contaron a nosotros, jamás la creerías.

Hace cientos de años, las historias de milagros ayudaban a que la gente se sintiera más segura de la existencia de Dios. Se decía, por ejemplo, que Dios había dividido el mar para que los israelitas pudieran cruzarlo sobre tierra seca. Se relataban historias que afirmaban que Dios había hecho llover en respuesta a las oraciones de un hombre justo, o cambiado el curso de un río y hasta la dirección en la que gira el Sol. Se recordaba el relato de Daniel que salió ileso de la cueva de leones, y de Shadrach, Meshach y Abednego que sobrevivieron a las llamas. El mensaje de todas esas historias era asegurarnos que Dios se preocupaba tanto por nosotros que estaba dispuesto a suspender las leyes de la naturaleza para apoyar y proteger a sus favoritos.

Pero en la actualidad, somos como el pequeño que asistía a la Escuela Dominical. Cuando nos cuentan esas historias reaccionamos con escepticismo. Si hay algo en lo cual encontramos una prueba de la existencia de Dios es precisamente en el hecho de que las leyes de la naturaleza no cambian. Dios nos ha dado un mundo maravilloso, exacto y ordenado. Una de las cosas que hacen que se pueda vivir en el mundo es el hecho de que las leyes de la naturaleza son precisas y confiables, de que siempre funcionan del mismo modo. Existe la gravedad: los objetos pesados caen siempre hacia la tierra. Por lo tanto, un constructor puede levantar una casa sin que los materiales floten en el aire. Existe la química: la mezcla de ciertos elementos en determinadas proporciones siempre da el mismo resultado, por lo tanto un médico puede recetar un remedio y saber cuál será su efecto. Podemos predecir a qué hora saldrá y se pondrá el Sol un día determinado. Podemos predecir, inclusive, el momento en que la Luna tapará al Sol causando un eclipse. En la antigüedad, un eclipse era un hecho antinatural y se interpretaba como una advertencia de Dios. En la actualidad, es un hecho totalmente natural, un recordatorio de que Dios nos ha dado un universo sumamente preciso.

Nuestro cuerpo humano es un milagro, no porque desafíe las leyes de la naturaleza sino precisamente porque las obedece. Nuestro sistema digestivo extrae los elementos nutritivos de los alimentos. Nuestra piel ayuda a regular la temperatura corporal mediante la transpiración. Las pupilas de nuestros ojos se expanden y contraen en respuesta a la luz. Inclusive cuando enfermamos, nuestro cuerpo posee mecanismos de autodefensa para luchar contra la enfermedad. Todas estas cosas maravillosas suceden por lo general sin que seamos conscientes de ello, de acuerdo con las leyes más precisas de la naturaleza. Ese, y no la separación legendaria del Mar Rojo, es el verdadero milagro.

Pero el carácter invariable de esas leyes, que posibilita la medicina y la astronomía, también causa problemas. La gravedad hace que los objetos caigan. Algunas veces caen sobre personas y las lastiman. Algunas veces, la gravedad hace que la gente caiga de montañas o ventanas. Algunas veces la gravedad hace que la gente se resbale sobre el hielo o se hunda bajo el agua. No podríamos vivir sin la gravedad, pero eso implica que debemos vivir con los peligros que ella origina.

Las leyes de la naturaleza tratan a todos por igual. No hacen excepciones, no eligen entre los buenos y los malos, los útiles y los que no lo son. Si un hombre entra en una casa donde alguien tiene una enfermedad contagiosa, corre el riesgo de contraer la enfermedad. El hecho por el cual está en la casa no tiene importancia. Puede ser un médico o un ladrón; los gérmenes de la enfermedad no notan la diferencia. Si Lee Harvey Oswald dispara sobre el presidente John Kennedy, las leyes de la naturaleza entran en juego desde el instante en que la bala sale disparada. Ni el curso de la bala ni la gravedad de la herida se verán afectadas por el hecho de que el presidente Kennedy sea o no una buena persona, o de que su muerte favorezca o no al mundo.

Las leyes de la naturaleza no hacen excepciones con la gente buena. Una bala no tiene conciencia; tampoco la tiene un tumor maligno o un automóvil fuera de control. Esa es la razón por la cual la gente buena se enferma y lastima como todos los demás. A pesar de las historias acerca de Daniel o Jonás que nos contaron en la Escuela Dominical, Dios no interfiere con las leyes de la naturaleza para proteger a los justos del mal. Esa es una segunda área de nuestro mundo que hace que le sucedan cosas malas a la gente buena, y Dios no la causa ni puede impedirla.

Y en realidad, ¿cómo podríamos vivir en este mundo si Dios lo hiciera? Supongamos, como mera disquisición, que Dios se hubiera propuesto no permitir que le suceda nada malo a una persona buena y piadosa. Si un Oswald le dispara al Presidente, aunque apunte el arma cuidadosamente, Dios hará que la bala no llegue al blanco. Si un ala se desprende del avión presidencial, Dios hará que aterrice a salvo. ¿Sería éste un mundo mejor si algunas personas fueran inmunes a las leyes de la naturaleza porque Dios las favorece, mientras el resto cuida de sí mismo?

Supongamos, nuevamente como mera disquisición, que yo soy una de esas personas justas a quienes Dios no permite que les suceda nada malo porque soy religioso, caritativo, tengo hijos pequeños y ayudo continuamente a la gente. ¿Eso qué implicaría? ¿Podría salir en mangas de camisa cuando hace frío y no enfermaría porque Dios impediría que los efectos de las leyes de la naturaleza me hicieran daño? ¿Podría cruzar la calle con el semáforo en rojo un día de tránsito pesado sin recibir ninguna herida? ¿Podría saltar de una ventana alta sin esperar el ascensor, y no causarme daño alguno? Un mundo en el cual la gente buena sufre los mismos peligros naturales que los demás causa problemas. Pero un mundo en el cual la gente buena es inmune a esas leyes sería muy complicado.

Las compañías de seguros se refieren a los huracanes, terremotos y otros desastres naturales como "actos de Dios". Yo creo que ése es uno de los casos en que se usa el nombre de Dios en vano. No creo que un terremoto que mata miles de víctimas inocentes sin motivo alguno sea un acto de Dios. Es un acto de la naturaleza. La naturaleza es moralmente ciega, no tiene valores. Simplemente se mueve, siguiendo sus propias leyes, sin importarle quién o qué se interponga en su camino. Dios no es moralmente ciego. Yo no podría venerarlo si pensara que lo es. Dios representa la justicia, la equidad, la compasión. Para mí, el terremoto no es un "acto de Dios". El acto de Dios es el valor de la gente que reconstruye su vida después del terremoto y la respuesta de los demás para ayudarlos con los medios que tienen a su alcance.

Si se cae un puente, si se rompe una represa, si se desprende el ala de un avión y la gente muere, no puedo considerar que Dios ha participado en esos hechos. No puedo creer que Dios haya deseado que toda esa gente falleciera en ese momento o que deseaba que algunos de ellos murieran y no tuvo más remedio que condenar a los demás también. Creo que esas calamidades son actos de la naturaleza y que no existe una razón moral para considerar que se trató de un castigo. Quizás, a medida que los seres humanos apliquen la inteligencia que les dio Dios al área de los desastres naturales, algún día podremos comprender el proceso físico que produce los terremotos, huracanes y la fatiga del metal y aprenderemos a preverlos o, inclusive, a impedirlos. Cuando ello suceda, será menor la cantidad de personas que caiga víctima de los mal llamados "actos de Dios".

No sé por qué una persona enferma y otra no, pero puedo suponer que se debe a la acción de algunas leyes naturales que no comprendemos. No puedo creer que Dios le "envía" una enfermedad a una persona determinada por un motivo específico. No creo en un Dios que tenga que distribuir una cuota semanal de tumores malignos, y consulta a su computadora para averiguar quién se merece uno o quién podría soportarlo mejor. "¿Qué hice para merecer esto?" es un lamento comprensible cuando proviene de una persona enferma y sufriente pero, en realidad, no es la pregunta correcta. Estar enfermo o gozar de buena salud no es cuestión de lo que Dios decide que nos merecemos. Sería mejor preguntarnos: "Si esto me pasó a mí, ¿qué hago ahora, y quién puede ayudarme?". Como vimos en el capítulo anterior, es mucho más fácil tomar a Dios seriamente como fuente de los valores morales si no lo hacemos responsable de todas las cosas injustas que suceden en el mundo.

Pero quizá debamos formular nuestra pregunta de un modo diferente. En lugar de preguntar por qué la gente buena debe sufrir debido a las mismas leyes naturales por las que sufre la gente mala, preguntemos por qué debe sufrir cualquier persona. ¿Por qué debe enfermar la gente? ¿Por qué debe sentir dolor? ¿Por qué muere? Si Dios diseñó un mundo para nuestro máximo beneficio, ¿por qué no pudo crear leyes de la naturaleza que no nos causaran ningún daño a nosotros, tanto a los buenos como a los malos?

—Buen Dios, ¿hasta dónde se puede reverenciar a un Ser Supremo que considera necesario incluir el desgaste dental en Su divino sistema de creación? ¿Por qué creó el dolor?

—¿Dolor? —La esposa del teniente Shiesskipf repitió la palabra en tono victorioso. —El dolor es un síntoma útil. El dolor nos advierte acerca de los peligros corporales.

—¿Y quién creó los peligros? —inquirió Yossarian—. ¿Por qué Dios no pudo usar un timbre para notificarnos, o uno de Sus coros celestiales? ¿O un sistema de tubos de neón azules y rojos en el centro de la frente de cada persona?

—La gente tendría un aspecto muy extraño si caminara con tubos de neón rojos en el centro de la frente.

—Ah, pero ahora están hermosos retorciéndose en su agonía, ¿no es así?

(*Trampa-22*, Joseph Heller)

¿Por qué sentimos dolor? Alrededor de uno de cada cuatrocientos mil bebés está predestinado a vivir una vida breve y lamentable que ninguno de nosotros envidiaría, una vida en la cual se lastimará con frecuencia, algunas veces en forma grave, sin saberlo. Ese niño tiene una rara enfermedad genética conocida como disautonomía familiar. No siente el dolor. Ese niño se cortará, se quemará, se caerá y se romperá un hueso, y no sabrá jamás que algo está mal. No se quejará de dolor de garganta y estómago, y sus padres no sabrán que está enfermo hasta que sea demasiado tarde.

¿Querría alguno de nosotros vivir de ese modo, sin sentir el dolor? El dolor es una parte desagradable pero necesaria de estar vivos. El autor Joseph Heller hace que su héroe Yossarian se burle del argumento, pero en realidad el dolor *es* el modo en que la naturaleza nos dice que nos estamos excediendo, que una parte de nuestro organismo no está funcionando como debiera, o que debe realizar una función para la cual no está capacitada. Recuerden las historias que leyeron sobre atletas cuyas carreras finalizaron prematuramente, y que algunas veces, inclusive, quedaron discapacitados en forma permanente, porque se obligaron a ignorar el dolor o tomaron drogas para calmarlo sin curar su causa. Piensen en la gente que debe ser internada de urgencia porque ignoró las señales de advertencia de un dolor suave, pensando que desaparecería si lo hacía.

Sentimos dolor cuando esforzamos nuestros músculos más de lo que pueden soportar. Es el dolor el que nos hace apartar la mano con rapidez de algo que está caliente antes de que nos queme gravemente. El dolor es una señal de que algo está mal en esa máquina maravillosa y compleja que es nuestro cuerpo. Podemos pensar equivocadamente que el dolor es uno de los modos en que Dios nos castiga. Tal vez, cuando lo creemos, nos acordamos de que uno de nuestros padres nos daba una palmada cuando éramos niños. Eso tal vez hace que pensemos que todas las cosas desagradables que nos suceden son un castigo. En realidad, la palabra "dolor" tiene la misma raíz del latín que "castigo" y "multa". Pero el dolor no significa que Dios nos está castigando. Es el modo en que la naturaleza advierte a la gente (buena y mala por igual) que algo está mal. Quizá la vida sea desagradable porque estamos sujetos al dolor. Alguien dijo que un hombre con dolor de muela que camina por un bosque no puede apreciar la belleza del bosque porque le duele la muela. Pero la vida sería peligrosa, quizás insoportable, si no pudiéramos sentir dolor.

Pero esa clase de dolor —el hueso roto, la hornalla caliente— es una respuesta a nivel animal. Los animales sienten esa clase de dolor tanto como nosotros. No es necesario tener alma para sentir dolor cuando algo agudo se clava en la carne. Sin embargo, existe otro nivel del dolor que solamente sienten los seres humanos. Solamente los seres humanos pueden hallar un significado a su dolor.

Consideremos lo siguiente: los científicos han encontrado un modo de medir la intensidad del dolor que sentimos. Pueden medir el hecho de que una migraña duele más que un raspón en la rodilla. Y han determinado que las dos experiencias más dolorosas que puede sufrir un ser humano son dar a luz y un cólico renal. Desde un punto de vista puramente físico, los dos hechos causan el mismo dolor, y no hay nada que los iguale. Pero desde el punto de vista humano, los dos son diferentes. El dolor de un cólico renal es simplemente un sufrimiento sin sentido, el resultado de una deficiencia natural en alguna parte de nuestro cuerpo. Pero el dolor de parto es un dolor creativo. Es un dolor que tiene significado, un dolor que da vida, que lleva a algo. Por esa razón, la gente que sufre un cólico renal dice, por lo general, que daría cualquier cosa por no tener que pasar por lo mismo otra vez, pero la mujer que ha dado a luz un hijo, como el corredor o el alpinista que hizo un esfuerzo físico por llegar a su meta, puede trascender su dolor y repetir la experiencia.

El dolor es el precio que pagamos por estar vivos. Las células muertas —nuestros cabellos, nuestras uñas— no sienten dolor; no sienten nada. Cuando lo comprendamos, nuestra pregunta ya no será "¿por qué tenemos que sentir dolor?" sino "¿qué hacemos con nuestro dolor para que se convierta en un sufrimiento significativo y no en un sufrimiento sin sentido y vacío? ¿Cómo podemos convertir todas las experiencias dolorosas de nuestra vida en dolores de parto o en dolores de crecimiento?" Es probable que jamás lleguemos a comprender por qué sufrimos, que jamás podamos controlar las fuerzas que causan nuestro sufrimiento, pero podemos llegar a decir mucho acerca de lo que nos hace el sufrimiento, y la clase de personas en las que nos convertimos debido a él. El dolor convierte a algunas personas en seres envidiosos y amargados. Hace que otras sean sensibles y compasivas. Es el resultado, y no la causa, del dolor lo que hace que ciertas experiencias dolorosas sean significativas y otras vacías y destructivas.

¿Por qué creó Dios un mundo en el cual existen la enfermedad y el mal? No sé por qué algunas personas enferman, algunas veces mortalmente. Sé que las enfermedades son causadas por gérmenes y virus (o por lo menos, lo creo como un acto de fe pues jamás vi un germen ni un virus, pero confío en que mis médicos son personas honorables que no me engañarían). Sospecho que la gente enferma cuando está deprimida, cuando se siente rechazada y no puede esperar nada del futuro inmediato. Sé que las personas se recuperan más rápido de una enfermedad cuando saben que los demás se preocupan por ellas y cuando tienen una razón para vivir. Pero no tengo una buena respuesta para la pregunta de por qué nuestros cuerpos están creados de modo que son vulnerables a los gérmenes y virus y tumores malignos. Sé que las células que componen nuestro cuerpo mueren y son reemplazadas constantemente. Eso posibilita nuestro crecimiento, que nazca piel nueva en reemplazo de la raspada o magullada. Sé que cuando un cuerpo extraño invade nuestro organismo, movilizamos nuestras defensas para luchar contra él, y la movilización hace que suba nuestra temperatura corporal y nos sintamos afiebrados. Sé que para que nuestros huesos sean lo suficientemente flexibles y livianos para que podamos caminar, deben ser lo suficientemente frágiles para quebrarse bajo una presión aguda. Que un joven quede paralizado debido a que sufrió una lesión en su médula espinal en un accidente del cual no tuvo la culpa es una tragedia indescriptible, pero por lo menos sigue leyes de la naturaleza, leyes que tienen sentido.

Cuando aprendemos más acerca del modo en que funciona el cuerpo humano, cuando comprendemos mejor las leyes de la naturaleza de nuestro mundo, encontramos algunas respuestas. Hemos llegado a saber que no podemos abusar indefinidamente de nuestro cuerpo y descuidar nuestra salud sin aumentar los riesgos de que algo funcione mal. Nuestro cuerpo es muy sensible; debe ser y hacer las cosas que le exigimos. El hombre que fuma dos atados de cigarrillos por día durante veinte años y enferma de cáncer en los pulmones, enfrenta problemas que merecen nuestra comprensión, pero no tiene fundamentos para preguntar: "¿Por qué Dios me hizo esto?". La persona que pesa mucho más de lo que debería pesar, y cuyo corazón debe bombear sangre a través de muchísimas células adiposas adicionales y arterias atascadas, deberá pagar el precio de ese esfuerzo adicional en su sistema y no tendrá fundamentos para quejarse de Dios. Ni tampoco lo tendrá el médico, religioso o político que trabaja muchas horas por día los siete días de la semana, en la causa más noble, pero no cuida su propia salud.

¿Pero por qué el cáncer? ¿Por qué la ceguera y la diabetes y la presión alta y la deficiencia renal? ¿Por qué se producen fallas espontáneas en nuestro organismo sin que nosotros las hayamos provocado a través de malos hábitos de salud? Explicar que el retraso mental es el resultado de un cromosoma defectuoso es ofrecer una explicación que, en realidad, no explica nada. ¿Por qué los cromosomas son defectuosos? ¿Y por qué debe depender la posibilidad futura de felicidad de una persona de que no lo sean?

No poseo una respuesta satisfactoria para esas preguntas. La mejor respuesta que conozco es que, en la actualidad, el Hombre es sólo la etapa más reciente en el proceso largo y lento de la evolución. En algún momento de la historia del planeta, los únicos seres vivientes sobre la Tierra eran las plantas. Después hubo anfibios; después, animales más complejos y finalmente, el Hombre. A medida que la vida evolucionó desde la forma más simple a la más compleja, retuvimos y heredamos algunas de las debilidades de las formas primitivas. Como las plantas, nuestro cuerpo sigue siendo vulnerable a las lesiones y la descomposición. Como los animales, podemos enfermar y morir. Pero no se produce una tragedia cuando muere una planta y los animales tienen una ventaja importante sobre los seres humanos. Si algo funciona mal en el organismo de un animal, si algo se quiebra, dejándolo tullido y débil, es menos probable que el animal se aparee y pase sus genes defectuosos a la generación siguiente. De ese modo, las características menos adecuadas para la supervivencia desaparecen y es probable que la generación siguiente sea más grande, fuerte y sana.

Los seres humanos no funcionan de ese modo. Un ser humano que es diabético o tiene otros problemas de salud heredados, pero es una persona atractiva y sensible, se casará y tendrá hijos. Nadie le negará ese derecho. Pero en el proceso, traerá al mundo niños con una posibilidad superior al promedio de tener algún problema físico.

Consideremos la siguiente secuencia de hechos. En

la sala de partos, nace un niño con un defecto congénito en el corazón o algún otro impedimento grave oculto en los antecedentes genéticos de sus padres, algo que constituye una amenaza para su supervivencia. Si falleciera poco después de su nacimiento, sus padres regresarían a su hogar tristes y deprimidos, preguntándose qué pudo haber sido. Pero después comenzarían a esforzarse por superar la pérdida y mirarían hacia el futuro.

Sin embargo, el niño no muere. Ayudado por los milagros de la medicina moderna y la devoción heroica de las enfermeras y los médicos, sobrevive. Crece, demasiado frágil para participar en deportes, pero inteligente, alegre y popular. Se convierte en médico, o maestro o poeta. Se casa y tiene hijos. Es respetado en su profesión y sus vecinos simpatizan con él. Su familia lo ama; la gente aprende a depender de él. Después, a los treinta y cinco o cuarenta años, su salud se resiente. Su corazón, congénitamente débil y que casi le falla al nacer, deja de funcionar y él muere. Ahora su muerte causa más que unos pocos días de tristeza. Es una tragedia desgarradora para su esposa e hijos y un hecho profundamente entristecedor para el resto de las personas que lo rodeaban.

Podríamos evitar muchas de esas tragedias si dejáramos morir a los niños débiles cuando nacen, si fuéramos menos diligentes para ayudarlos a sobrevivir las enfermedades y peligros de la niñez, si permitiéramos que sólo se casaran y tuvieran hijos los especímenes más sanos y prohibiéramos a los demás esas satisfacciones. Después de todo, eso es lo que hacen los animales para que los errores genéticos no pasen de generación en generación. ¿Pero quién de nosotros, con fundamentos morales o por simple interés personal, estaría de acuerdo con eso?

Mientras escribo estas líneas, inclusive, pienso en un joven de mi comunidad que está muriendo lentamente de una enfermedad degenerativa, y me pregunto si todas estas especulaciones biológicas le servirán de consuelo. Sospecho que no. A menos que queramos desempeñar el rol de los amigos de Job, ¿qué ayuda nos puede prestar el saber que su enfermedad sigue ciertas leyes de la naturaleza? ¿Lo hará sentir mejor que le digan que sus padres, sin saberlo, le pasaron las semillas de su terrible enfermedad?

Job hacía preguntas acerca de Dios, pero no necesitaba lecciones de teología. Necesitaba simpatía y compasión y que le reafirmaran que era una persona buena y un amigo querido. Mi vecino me hace preguntas acerca de su enfermedad, pero si yo le contestara con lecciones de biología y genética, no estaría comprendiendo sus necesidades. Mi vecino, como Job, necesita que le digan que lo que le está sucediendo es terriblemente injusto. Necesita ayuda para mantener fuertes su mente y espíritu, para contemplar un futuro en el cual pueda pensar, planear y decidir, aunque no pueda caminar o nadar, y en el cual no tendrá que ser un tullido dependiente e indefenso a pesar de la pérdida de ciertas habilidades.

No sé por qué mi amigo y vecino está enfermo y muriendo y sufre dolores constantes. Desde mi perspectiva religiosa, no puedo decirle que Dios tiene Sus razones para enviarle ese terrible destino, o que Dios debe amarlo especialmente o admirar su coraje para ponerlo a prueba de ese modo. Sólo puedo decirle que el Dios en el cual yo creo no le envió esa enfermedad y no posee una cura milagrosa que se niega a administrarle. Pero en un mundo en el cual todos nosotros poseemos un espíritu inmortal en un cuerpo frágil y vulnerable, el Dios en el que yo creo da fuerza y valor a aquellos que, injustamente y sin haber tenido culpa alguna, sufren dolor y temen la muerte. Puedo ayudarlo a recordar que él es algo más que un cuerpo tullido. Que es más que un hombre con una enfermedad que lo convierte en discapacitado. Es un hombre con una esposa e hijos que lo aman, con muchos amigos y con fuerza suficiente en su alma para continuar viviendo, para ser una persona viva, en el pleno sentido de la palabra, hasta su último día.

No sé por qué la gente es mortal y está predestinada a morir, y no sé por qué la gente muere en el momento y del modo en que lo hace. Quizá, podríamos intentar comprenderlo imaginando cómo sería el mundo si la gente viviera eternamente.

Cuando cursaba el primer año de la universidad, era un joven para el cual la vejez y la muerte eran tan remotas que jamás pensaba en ellas. Pero una de las materias que cursaba versaba sobre los clásicos de la literatura mundial, y leí dos discusiones sobre la muerte y la inmortalidad que me impresionaron tanto que todavía me acompañan, treinta años después.

En la *Odisea* de Homero, hay un pasaje en el cual Ulises se encuentra con Calipso, una princesa marina hija de los dioses. Calipso, un ser divino, es inmortal. No morirá jamás. Está fascinada por Ulises porque nunca antes había conocido a un mortal. A medida que leemos, nos damos cuenta de que Calipso envidia a Ulises porque él no vivirá eternamente. Su vida tiene más significado, cada una de sus decisiones es importante precisamente porque su tiempo es limitado, y lo que él decide hacer con su tiempo constituye una elección verdadera.

Posteriormente, ese mismo año, leí los *Viajes de Gulliver* de Swift. En la tierra de los Luggnaggian, escribe Swift en su fantasía, sucedía una o dos veces en una generación que nacía un niño con una mancha roja circular en la frente, lo cual significaba que no moriría jamás. Gulliver imagina que esos niños serían las personas más afortunadas del mundo "al estar exentos de la calamidad universal de la naturaleza humana", la muerte. Pero cuando llega a conocerlos, comprende que, en realidad, son las criaturas más miserables y dignas de compasión. Envejecen y se debilitan. Sus amigos y contemporáneos, mueren. Cuando cumplen ochenta años, les quitan sus propiedades y se las entregan a sus hijos, que a no ser por esa medida, jamás los heredarían. Su cuerpo contrae enfermedades, acumulan odios y penas, se cansan de las luchas de la vida, y no tienen la esperanza de que algún día serán liberados del dolor de vivir.

Homero nos muestra un ser inmortal que nos envidia por ser mortales. Swift nos enseña a compadecer a las personas que no pueden morir. Quiere que comprendamos que vivir con la idea de que vamos a morir puede ser atemorizante y trágico, pero saber que no moriremos jamás sería insoportable. Podemos desear una vida más larga, o más feliz, ¿pero cómo podríamos soportar una vida que continuara eternamente? En el caso de muchos de nosotros, llegaríamos al punto en que la muerte sería el único remedio para el dolor que contendría nuestra vida.

Si la gente viviera eternamente y no muriera jamás, sucedería una de dos cosas. El mundo estaría insoportablemente lleno o la gente evitaría tener hijos para impedir que se llenara. La humanidad se vería privada de esa sensación de nuevo comienzo que representa el nacimiento de un niño, esa posibilidad de algo nuevo bajo el sol. En un mundo en el cual la gente viviera eternamente, es probable que jamás hubiéramos nacido.

Pero, al igual que en nuestra discusión previa del dolor, debemos reconocer que una cosa es explicar que la mortalidad en general es buena para la gente en general y algo muy diferente decirle a alguien que ha perdido a un padre, una esposa o un hijo que la muerte es buena. No nos atrevemos a intentarlo. Sería cruel y desconsiderado. Lo único que podemos decirle a alguien en un momento como ese es que la vulnerabilidad frente a la muerte es una de las condiciones de la vida. No podemos explicarla como tampoco podemos explicar la vida en sí misma. No podemos controlarla, y algunas veces, ni siquiera posponerla. Lo único que podemos hacer es intentar elevarnos sobre la pregunta "¿por qué pasó?" y comenzar a preguntarnos "¿qué haré ahora que pasó?"

5

DIOS NOS DA LIBERTAD PARA SER HUMANOS

Una de las cosas más importantes que nos puede enseñar una religión es el significado de ser humanos. La visión del Hombre que aparece en la Biblia es tan fundamental para su perspectiva global como lo es su visión de Dios. Dos pasajes, al principio mismo de la Biblia, nos enseñan a ser humanos y nos dicen la forma en que nosotros, en nuestra calidad de seres humanos, nos relacionamos con Dios y con el mundo que nos rodea.

El primero está en el capítulo inicial del Libro del Génesis, donde se afirma que los seres humanos fuimos hechos a imagen y semejanza de Dios. En el punto culminante del proceso de la Creación, se afirma que Dios dijo: "Hagamos al Hombre a nuestra imagen y semejanza". ¿Por qué en plural? ¿Quiénes son "nosotros", la "nuestra" de la que habla Dios? Mi sugerencia para comprender esta oración es considerar que está conectada con la oración que la precede, en la cual Dios crea a los animales. En una descripción de la Creación que es asombrosamente similar al proceso evolutivo tal como lo han desentrañado los científicos, Dios crea primero un mundo cubierto por las aguas. Después hace surgir la tierra seca, llena Su mundo con plantas, peces, pájaros y reptiles, y finalmente con mamíferos. Una vez creados los animales y las bestias, Él les dice *a ellos*: "Vamos a tomar los recaudos para que aparezca una nueva especie de criatura, un ser humano, a *nuestra* imagen y semejanza: la de ustedes y la Mía. Modelemos una criatura que será como ustedes, un animal, en ciertos aspectos: necesitará comer, dormir, aparearse; y como Yo en otros, porque estará por encima del nivel animal. Ustedes, los animales, aportarán sus dimensiones físicas, y Yo le soplaré un alma". Y así, como coronación de la Creación, se crearon los seres humanos, en parte animales y en parte divinos.

¿Pero cuál es la parte nuestra que nos eleva por encima del nivel animal, la parte que compartimos con Dios como ninguna otra criatura viviente? Para encontrar la respuesta a esa pregunta debemos recurrir al segundo pasaje bíblico, una de las historias peor interpretadas de toda la Biblia, la historia de lo que sucedió en el Jardín del Edén.

Después de crear a Adán y Eva, leemos, Dios los colocó en el jardín y les dijo que podían comer los frutos de todos los árboles, inclusive del Árbol de la Vida. Sólo les estaba prohibido el Árbol del Conocimiento del Bien y del Mal. Dios les advirtió que el día que comieran los frutos de ese árbol, morirían. Debido en parte a la insistencia de la serpiente, Adán y Eva comieron el fruto prohibido. Dios les recriminó su desobediencia y los castigó del siguiente modo:

—Debían marcharse del jardín y ya no podrían

comer el fruto del Árbol de la Vida. (No morirán ese día, pero procrearán hijos y morirán, en lugar de vivir eternamente.)

—Eva dará a luz y criará a sus hijos con dolor. ("Multiplicaré los sufrimientos de tus embarazos; darás a luz a tus hijos con el dolor de tu vientre.")

—Adán tendrá que trabajar para cultivar los alimentos en lugar de encontrarlos en los árboles. ("Ganarás el pan con el sudor de tu frente.")

—Existirá tensión sexual entre el hombre y la mujer. ("Sentirás atracción por tu marido, y él te dominará.")

La primera vez que ustedes leyeron la historia, o cuando se la enseñaron por primera vez en la Escuela Dominical, es probable que la comprendieran como una simple desobediencia de Adán y Eva a una orden de Dios y el castigo que recibieron por ella. Ese es un nivel de respuesta adecuado para un niño y contiene, por cierto, un mensaje familiar. ("Mamá te dijo que no jugaras en el barro. Pero jugaste en el barro, así que te vas a quedar sin postre.") Quizá, según cuál sea la enseñanza religiosa que les impartieron, les dijeron también que todos los seres humanos, los descendientes de Adán y Eva, estaban predestinados a morir en el pecado debido a esa desobediencia original. En ese momento, inclusive, es posible que les haya parecido injusto que Dios castigara con tanta severidad a Adán y Eva y a sus descendientes por un pequeño error cometido por dos personas sin experiencia, especialmente porque no se podía esperar que ellos conocieran el bien y el mal antes de comer el fruto del Árbol del Conocimiento del Bien y del Mal.

Yo creo que la historia se refiere a algo más que a un simple caso de desobediencia y su castigo. Es probable que mi interpretación sea muy diferente de las que les transmitieron a ustedes, pero creo que tiene sentido y encaja en el contexto bíblico. En mi opinión, la historia se refiere a las diferencias entre los seres humanos y los animales, y la clave para comprenderla es el hecho de que el árbol "prohibido" recibe el nombre de Árbol del Conocimiento del Bien y del Mal.

Los seres humanos viven en un mundo en el que existe el bien y el mal. Eso hace que nuestra vida sea dolorosa y complicada. A los animales no les sucede lo mismo; su vida es mucho más simple, sin los problemas y decisiones morales que debemos enfrentar los seres humanos. Las categorías de "bien" y de "mal" no existen para los animales. Pueden ser útiles o sucios, obedientes o desobedientes, pero no pueden ser buenos o malos. Expresiones tales como "perrito bueno" o "perrito malo" no se refieren al valor moral de lo que el perro hace, sino solamente a lo que es adecuado o inadecuado para nosotros, los seres humanos, de la misma forma en que diríamos que el clima es "bueno" o "malo". Al igual que nuestros antepasados, que eran casi humanos sin llegar a serlo por completo, los animales comen el fruto del Árbol de la Vida; comen y beben, corren y se aparean. Pero el Árbol del Conocimiento del Bien y del Mal está fuera de su alcance.

Para usar un término que las generaciones anteriores a la nuestra no podrían haber comprendido, puede decirse que los animales están "programados". Su instinto inherente les dice cuándo deben comer, dormir, etcétera. Siguen su instinto y, por lo tanto, las decisiones difíciles que deben tomar son muy pocas. En cambio, los seres humanos son únicos en el mundo de las criaturas vivientes. La "imagen y semejanza de Dios" que existe en nosotros nos permite decir No al instinto por razones morales. Podemos optar por no comer aunque tengamos hambre. Podemos abstenernos sexualmente inclusive cuando estamos excitados, no por temor a un castigo sino porque comprendemos los términos "bien" y "mal" como no puede comprenderlos ningún otro animal. Toda la historia de los seres humanos habla de una elevación por encima de nuestra naturaleza animal, de cómo aprendemos a controlar nuestros instintos.

Volvamos a los "castigos" que Dios impone a Adán y Eva. (Pongo la palabra "castigos" entre comillas porque no estoy seguro de que realmente lo sean. Son las consecuencias dolorosas de ser humanos en lugar de meros animales.) Cada uno de ellos constituye un modo en el cual la vida de los seres humanos es más dolorosa y problemática que la de los animales.

El sexo y la reproducción son naturales y no presentan problemas para los animales, para ninguno, excepto para el Hombre. Las hembras entran en celo, los machos se sienten atraídos hacia ellas y las especies se conservan. No podría haber nada más simple. Comparemos eso con las tensiones sexuales que existen en los seres humanos: la adolescente que espera que un muchacho la llame, sintiéndose relegada y poco atractiva; el estudiante universitario que no se puede concentrar en sus estudios y piensa en suicidarse porque su novia lo dejó; la profesional soltera embarazada que no está de acuerdo con el aborto pero siente que no le queda otra opción; el ama de casa sumida en la depresión porque su esposo la dejó por otra mujer; las víctimas de violaciones, los productores de películas pornográficas, los adúlteros furtivos, los "atletas sexuales" promiscuos que se detestan a sí mismos. El sexo es simple y directo para los animales pero doloroso para nosotros (a menos que estemos dispuestos a comportarnos como animales) porque hemos ingresado en el mundo del bien y del mal.

Al mismo tiempo, precisamente porque vivimos en ese mundo, una relación sexual puede significar para nosotros infinitamente más que para un animal o para una persona que considera que el sexo es sólo un instinto que se debe satisfacer. Puede significar ternura, afecto, un compromiso responsable. Los animales se pueden aparear y reproducir, pero sólo los seres humanos conocen el amor, con todo el dolor que ese amor implica algunas veces.

Para los animales, dar a luz una cría y supervisar su crecimiento es un proceso puramente instintivo. El dolor físico y el dolor psicológico son mucho menores para ellos que para el padre humano. Cuando nuestra perra tuvo una camada de cachorros, supo exactamente lo que debía hacer sin que nadie se lo hubiera enseñado. Dar a luz fue molesto pero no tan doloroso como lo es para una madre humana. Nuestra perra atendió a sus cachorritos y, cuando fueron lo suficientemente grandes como para cuidar de sí mismos, comenzó a ignorarlos. Ahora, cuando se encuentra con uno de sus cachorros que ya es adulto, reconoce a otro perro pero no forzosamente a uno con el cual tiene un vínculo estrecho. Ser un padre humano no es tan fácil. Dar a luz, uno de los hechos más dolorosos que puede experimentar el cuerpo humano, es, en cierto sentido, la parte más fácil. Criar y enseñar a los niños, transferirles nuestros valores morales, compartir sus dolores grandes y pequeños, decepcionarnos de ellos, saber cuándo se debe ser estricto y cuándo se debe perdonar: esos son los aspectos dolorosos de ser padre. Y a diferencia de los animales, no lo podemos hacer por instinto. Debemos tomar decisiones difíciles.

De igual modo, la gente debe trabajar con ahínco por sus alimentos, ya sea cultivándolos o realizando algún servicio para ganar dinero y así poder comprarlos. El mundo provee alimentos para los animales, para los predadores y para los herbívoros. Es probable que el león se deba esforzar para acechar y matar a un animal, y quizá le resulte muy difícil, pero no se puede comparar con la experiencia humana de ser despedido de un trabajo o tener que decidir si se debe retener información importante cuando se realiza una venta. Los animales pueden depender de que su instinto los guíe en la búsqueda de comida. Los humanos deben preocuparse por elegir una carrera, conservar un puesto, llevarse bien con su jefe. Sólo los humanos deben ponderar los pros y los contras de hacer algo que podría ser ilegal o poco ético para conservar un puesto o efectuar una venta. Una vez más, un área importante de la vida que quizá sea difícil para los animales pero que por lo menos está exenta de dilemas morales, para los seres humanos es problemática y con frecuencia dolorosa.

Y finalmente, todas las criaturas vivientes están predestinadas a morir, pero los seres humanos son los únicos que lo saben. Los animales se protegen instintivamente contra las amenazas a su vida y bienestar, pero sólo los seres humanos viven en el valle de las sombras de la muerte, sabiendo que son mortales, inclusive cuando nadie los ataca. El saber que moriremos algún día cambia nuestra vida en muchas formas. Nos incita a tratar de hacerle trampas a la muerte haciendo algo que nos sobrevivirá: tener hijos, escribir libros, dejar una impresión perdurable en nuestros amigos y vecinos para que nos recuerden con afecto. Saber que nuestro tiempo es limitado da valor a las cosas que hacemos. Es importante que prefiramos leer un libro o visitar a un amigo enfermo en lugar de ir al cine, precisamente porque no disponemos de tiempo para hacer todo.

Eso fue, entonces, lo que les sucedió a Adán y Eva. Se convirtieron en humanos. Tuvieron que salir del Jardín del Edén, donde los animales comen los frutos del Árbol de la Vida, el árbol de las fuerzas básicas de la vida y de los instintos. Entraron en el mundo del conocimiento del bien y del mal, un mundo más doloroso y complicado, donde deberían tomar decisiones morales difíciles. Comer y trabajar, tener hijos y criarlos, ya no serían cuestiones simples como para los animales inferiores. Esos primeros seres humanos tomaron conciencia de su persona (después de comer el fruto prohibido, sintieron la necesidad de cubrirse con ropa). Sabían que no vivirían eternamente. Pero, fundamentalmente, tendrían que tomar decisiones durante toda su vida.

Eso es lo que significa ser humano "a imagen y

semejanza de Dios". Significa tener libertad para elegir en lugar de hacer lo que nos dicta nuestro instinto. Significa saber que algunas elecciones son buenas y otras malas y que tenemos la obligación de conocer la diferencia. "Yo he puesto delante de ti la vida y la muerte, la bendición y la maldición. Elige la vida." (Deuteronomio 30:19) Eso no pudo haber sido dicho a ninguna otra criatura viviente a excepción del Hombre, porque ninguna otra criatura tiene libertad para elegir.

Pero si el Hombre tiene realmente libertad para elegir, si puede ser virtuoso eligiendo libremente el bien cuando podría elegir el mal, entonces también tiene libertad para elegir el mal. Si sólo fuera libre para hacer el bien, en realidad no estaría eligiendo. Si estamos *predestinados* a hacer el bien, entonces no tenemos libertad para *elegirlo*.

Imaginen que un padre le dice a su hijo:

—¿Cómo te gustaría pasar esta tarde, haciendo deberes o jugando con un amigo? Tú eliges.

—Me gustaría jugar con mi amigo —le responde el niño.

—Lo siento, es una mala elección —le dice su padre—. No puedo permitir que lo hagas. No te dejaré salir de casa hasta que termines tus deberes. Elige nuevamente.

En esa ocasión el niño dice:

—Está bien, haré los deberes.

—Me alegro de que hayas elegido lo correcto —le responde el padre sonriendo.

Es probable que hayamos obtenido el resultado deseado, pero sería un error afirmar que el niño demostró madurez y responsabilidad cuando eligió.

Ahora imaginemos que Dios le dice a una persona:

—¿Cómo piensas obtener el dinero para pagar tus cuentas? ¿Vas a conseguir un trabajo, lo cual implica que deberás levantarte muy temprano y trabajar duro, o vas a robarle la cartera a una anciana y salir corriendo?

—Tenía pensado robar una cartera —responde el hombre.

—No, eso está mal —le dice Dios—. No permitiré que lo hagas. Elige nuevamente.

En esa ocasión el hombre acepta con reticencia conseguir un trabajo. Se evitó un robo pero, ¿se permitió que el hombre actuara como un ser humano moralmente libre? ¿Le permitió Dios elegir entre el camino del bien y el camino del mal? ¿O lo redujo al nivel de un animal al quitarle su libertad para elegir y obligarlo a tomar el mejor camino?

Para permitir que seamos libres, para permitir que seamos humanos, Dios debe darnos libertad para elegir hacer lo correcto o lo incorrecto. Si no tenemos libertad para elegir el mal, entonces tampoco la tenemos para *elegir* el bien. Al igual que los animales, sólo podemos ser adecuados o inadecuados, obedientes o desobedientes. Ya no podemos ser morales, lo cual significa que ya no podemos ser humanos.

Ninguno de nosotros puede leer la mente de Dios, saber por qué, en cierto punto del proceso evolutivo, Él hizo surgir una nueva clase de criatura, un animal moralmente libre que podía elegir ser bueno o malo. Pero lo hizo, y el mundo ha presenciado mucha nobleza y mucha crueldad desde entonces.

Nuestra libertad moral significa que, si elegimos

ser egoístas o deshonestos, podemos *ser* egoístas y deshonestos, y Dios no nos detendrá. Si deseamos tomar algo que no nos pertenece, Dios no extenderá su mano y retirará la nuestra del frasco de las galletitas. Si deseamos herir a alguien, Dios no intervendrá para impedírnoslo. Lo único que hará será decirnos que ciertas cosas están mal, advertirnos que lamentaremos haberlas hecho, y confiar en que, si no creemos en Su palabra, por lo menos aprenderemos de la experiencia.

Dios no es como los padres humanos que observan a su hijo dar los primeros pasos temblorosos o luchar con un problema de álgebra mientras se dicen íntimamente:

—Si intervengo, le ahorraré a mi hijo mucho dolor pero, ¿cómo aprenderá a valerse por sí mismo?

Un padre humano en esa situación tiene la posibilidad (y la responsabilidad) de intervenir si el niño corre peligro. Pero Dios se ha fijado como límite no intervenir para quitarnos nuestra libertad, incluyendo nuestra libertad para lastimarnos y lastimar a los que nos rodean. Él dejó que el Hombre evolucionara moralmente libre, y no hay modo de retroceder el reloj de la evolución.

¿Por qué, entonces, le suceden cosas malas a la gente buena? Una de las razones es que el hecho de ser humanos nos da libertad para herirnos unos a otros, y Dios no puede impedirlo sin quitarnos la libertad que nos hace humanos. Los seres humanos podemos engañar a nuestros congéneres, herirlos, y Dios sólo puede contemplarnos con pena y compasión por lo poco que hemos aprendido con el correr de los siglos acerca del modo en que deben comportarse los seres humanos. Esta línea de pensamiento me ayuda a comprender la monstruosa erupción de maldad que conocemos como el Holocausto, la muerte de millones de personas a manos de Adolfo Hitler. Cuando la gente me pregunta:

—¿Dónde estaba Dios en Auschwitz? ¿Cómo pudo permitir que los nazis asesinaran a tantos hombres, mujeres y niños inocentes?

Les respondo que Dios no fue quien lo causó. Fueron los seres humanos que eligieron ser crueles con sus congéneres. En palabras de una teóloga cristiana alemana, Dorothee Soelle, cuando se refería a los intentos de justificar el Holocausto como la voluntad de Dios: "¿Quién desea un Dios como ése? ¿Quién gana algo al venerarlo? ¿Estaba Dios del lado de las víctimas o del verdugo?"

Tratar de explicar el Holocausto, o cualquier otro sufrimiento, como la voluntad de Dios, es tomar partido por el verdugo en lugar de por su víctima, y afirmar que Dios hace lo mismo.

Si considero que fue la voluntad de Dios, me resulta imposible encontrarle sentido al Holocausto. Aun si pudiera aceptar la muerte de un individuo inocente de vez en cuando sin tener que repensar todas mis convicciones, el Holocausto implica demasiadas muertes, demasiadas evidencias contra la opinión de que "Dios está a cargo y Él tiene Sus razones". Debo creer que el Holocausto fue, por lo menos, una ofensa tan grande para el orden moral de Dios como lo es para el mío, de lo contrario, ¿cómo podría respetar a Dios como fuente de guía moral?

¿Por qué murieron seis millones de judíos y varios

millones de víctimas inocentes en los campos de concentración de Hitler? ¿Quién fue el responsable? Y así volvemos a la idea de la libertad humana para elegir. El hombre, descubrimos, es esa criatura única cuyo comportamiento no está "programado". Tiene libertad para elegir ser bueno, lo cual implica que debe ser libre para elegir ser malo. Algunas buenas personas son buenas a una escala relativamente modesta. Son caritativas, visitan a los enfermos, ayudan a un vecino a cambiar un neumático pinchado. Otras, son buenas a una escala mayor. Trabajan con diligencia para descubrir la cura de una enfermedad o luchan por los derechos de los pobres e indefensos. Algunas malas personas eligen el mal, pero tienen la capacidad para ser malvadas a una escala pequeña. Mienten, engañan, toman cosas que no les pertenecen. Y otras tienen la capacidad de herir a millones, así como sus contrapartes bondadosas tienen la capacidad para ayudar a millones.

Seguramente Hitler fue uno de esos raros genios malignos que, una vez que eligió ser destructivo, tuvo la capacidad de ser más destructivo que virtualmente cualquier otra persona de la historia. (Esto nos lleva a una pregunta que en realidad no forma parte de nuestra discusión: ¿Podemos afirmar que alguien como Hitler *eligió* ser destructivo? ¿O tendríamos que estudiar a sus padres, su entorno hogareño, sus maestros, sus primeras experiencias en la vida y las circunstancias históricas que hicieron que se convirtiera en esa clase de persona? Es probable que no exista una respuesta clara para esa pregunta. Los sociólogos han debatido el tema muchos años, y continuarán haciéndolo. Sólo puedo decir que la piedra angular de mi convicción religiosa es la certeza de que los seres humanos *tienen* libertad para elegir la dirección que tomará su vida. Por supuesto, algunos niños nacen con una capacidad física o mental que limitará su libertad de elección. No todos pueden elegir ser cantantes de ópera, cirujanos o atletas profesionales. También es cierto que algunos padres maltratan a sus hijos, que situaciones accidentales —guerras, enfermedades— traumatizan a los niños y les impiden hacer algo para lo cual hubiesen estado calificados, y que algunas personas son tan adictas a los hábitos que resulta difícil considerarlas libres. Pero insistiré en que cada adulto, aun cuando su niñez haya sido desafortunada o sea adicto a algún hábito, tiene libertad para elegir cómo será su vida. Si no somos libres, si estamos determinados por las circunstancias y las experiencias, entonces no somos diferentes al animal que está dominado por sus instintos. Decir de Hitler, decir de cualquier criminal, que no eligió ser malo sino que es víctima de su educación, imposibilita toda moralidad, toda discusión acerca del bien y del mal. Deja sin respuesta la pregunta de por qué otras personas que pasaron por circunstancias similares no se convirtieron en otros tantos Hitler. Pero peor aún, decir "no tiene la culpa, no tuvo libertad para elegir" es robarle a una persona su humanidad, y reducirla al nivel de un animal que tampoco tiene libertad para elegir entre el bien y el mal.)

El Holocausto sucedió porque Hitler era un genio demente y maligno que eligió hacer daño a escala masiva. Pero no lo hizo solo. Hitler era sólo un hombre, e inclusive su capacidad para hacer el mal era limitada. El Holocausto se produjo porque miles de personas que no eran Hitler se convencieron de unirse a él en su locura, y millones de personas permitieron que se las obligara a colaborar mediante el temor y la vergüenza. Se produjo porque gente enojada y frustrada estuvo dispuesta a descargar su ira y su frustración sobre víctimas inocentes apenas la alentaron a hacerlo. Se produjo porque Hitler logró persuadir a los abogados de que olvidaran su compromiso con la justicia y a los médicos de que violaran su juramento. Y se produjo porque los gobiernos democráticos no estuvieron dispuestos a convocar a su pueblo para enfrentar a Hitler mientras sus intereses no se vieron afectados.

¿Dónde estaba Dios mientras sucedía todo eso? ¿Por qué no intervino para detenerlo? ¿Por qué no hizo que cayera muerto en 1939 salvando así millones de vidas y evitando grandes sufrimientos? ¿Por qué no envió un terremoto para que demoliera las cámaras de gas? ¿Dónde estaba Dios? Tengo que creer, al igual que Dorothee Soelle, que estaba con las víctimas, y no con los asesinos, pero que Él no controlaba la elección del hombre entre el bien y el mal. Tengo que creer que las lágrimas y oraciones de las víctimas despertaron la compasión de Dios, pero que habiendo dado al Hombre la libertad de elegir, incluyendo la libertad de elegir lastimar a su vecino, no había nada que Dios pudiera hacer para impedirlo.

El Cristianismo introdujo en el mundo la idea de un Dios que sufre, junto con la imagen de un Dios que crea y dirige. El judaísmo postbíblico se refirió ocasionalmente a un Dios que sufre, un Dios que se queda sin hogar y va al exilio junto con Su pueblo exiliado, un Dios que llora cuando ve lo que algunos de Sus hijos les hacen a otros. No sé lo que significa el sufrimiento para Dios. No creo que Dios sea una persona como yo, con ojos verdaderos y lagrimales verdaderos para llorar y terminaciones nerviosas verdaderas para sentir dolor. Pero me agradaría pensar que la angustia que siento cuando leo acerca del sufrimiento de personas inocentes refleja la angustia de Dios y la compasión de Dios, aun cuando su forma de sentir el dolor sea diferente de la nuestra. Me agradaría pensar que Él es la fuente que me permite sentir compasión e indignación, y que Él y yo estamos del mismo lado cuando tomamos partido por la víctima contra aquellos que desean herirla.

Creo que es correcto que la última palabra en este tema provenga de un sobreviviente de Auschwitz:

> Jamás se me ocurrió cuestionar las acciones u omisiones de Dios mientras fui prisionero en Auschwitz, si bien comprendo, por supuesto, la razón por la que otros lo hicieron... Mi religiosidad no cambió ni en menos ni en más debido a lo que nos hicieron los nazis; creo que mi fe en Dios no disminuyó en lo más mínimo. Jamás se me ocurrió relacionar la calamidad que experimentábamos con Dios, culparlo, o creer menos en Él o dejar de creer en Él porque no acudió en nuestra ayuda. Dios no nos debe eso, no nos debe nada. Nosotros le debemos nuestra vida. Si alguien cree que Dios es responsable de la muerte de seis millones porque no hizo algo para salvarlos, está confundido. Le debemos a Dios nuestra vida por los pocos o muchos años que

vivamos, y tenemos el deber de venerarlo y hacer lo que Él nos ordena. Para eso estamos en la Tierra, para servir a Dios, para cumplir Sus designios.

(*La fe y dudas de los sobrevivientes del Holocausto*, Brenner)

6

DIOS AYUDA A LOS QUE DEJAN DE HERIRSE A SÍ MISMOS

Una de las peores cosas que le pasan a una persona herida por la vida es que tiende a aumentar el daño hiriéndose por segunda vez. No sólo es la víctima del rechazo, el duelo, la lesión o la mala suerte; con frecuencia siente la necesidad de verse como una mala persona que recibió lo que se merecía y debido a ello ahuyenta a las personas que tratan de acercársele para ayudarla. Con frecuencia, en nuestro dolor y confusión, hacemos instintivamente lo que no deberíamos hacer. Sentimos que no merecemos recibir ayuda, y permitimos que la culpa, la ira, la envidia y la soledad autoimpuesta empeoren una situación que era mala de por sí.

Cierta vez leí un proverbio folclórico iraní: "Si ves a un hombre ciego, patéalo; ¿por qué ser más amable que Dios?" En otras palabras, si ves que alguien sufre debes creer que se merece su suerte y que Dios desea que sufra. Por lo tanto, ponte del lado de Dios, humíllalo y rehúye su compañía. Si intentas ayudarlo, te estarás oponiendo a la justicia de Dios.

Probablemente para la mayoría de nosotros ese

punto de vista es espantoso. Por lo general, pensamos que sabemos cómo debemos actuar. Pero muchas veces, les decimos a las personas que han sido heridas que ellas, en cierta forma, se lo merecían. No lo hacemos para hacerles daño pero lo hacemos y cuando lo hacemos, alimentamos su sentido latente de culpa, la sospecha de que, quizá, lo que sufren les sucedió porque de alguna forma se lo buscaron.

¿Recuerdan a los amigos de Job en la historia bíblica? Cuando los tres amigos fueron a visitar a Job, deseaban sinceramente consolarlo por sus pérdidas y su enfermedad. Pero hicieron casi todo mal y finalmente lograron que se sintiera peor. ¿Podemos aprender a partir de sus errores lo que realmente necesita una persona herida por la vida, y cómo, siendo sus amigos y vecinos, podemos ayudarlo?

El primer error de los amigos fue pensar que cuando Job dijo: "¿Por qué Dios me hace esto a mí?", estaba haciendo una pregunta, y que lo ayudarían si la respondían dándole una explicación. En realidad, las palabras de Job no eran una pregunta teológica: eran sólo un grito de dolor. Las palabras debieron estar entre signos de admiración y no de pregunta. Lo que Job necesitaba de sus amigos —lo que realmente estaba pidiendo cuando dijo "¿Por qué Dios me hace esto a mí?"— no era teología, sino comprensión. En realidad, no deseaba que le explicaran a Dios, y no deseaba, por cierto, que le mostraran sus propias carencias teológicas. Deseaba que le dijeran que él era una buena persona y que las cosas que le estaban sucediendo eran terriblemente trágicas e injustas. Pero los amigos se cerraron tanto hablando de Dios que casi olvidaron a Job, excepto para decirle que seguramente había hecho algo muy terrible porque si no, no hubiera merecido ese castigo a manos de un Dios justiciero.

Como esos amigos no habían estado jamás en la situación de Job, no comprendieron lo inútil y ofensivo que era juzgarlo y decirle que no debía llorar ni quejarse. Y aunque hubieran experimentado una pérdida similar, no habrían tenido derecho a juzgar el dolor de Job. Saber qué decirle a una persona que ha sido golpeada por la tragedia es difícil, pero es mucho más fácil saber qué no se debe decirle. Es un error criticar al doliente ("no lo tomes tan a pecho", "trata de contener las lágrimas, estás molestando a la gente"). Todo lo que trate de minimizar su dolor ("quizá fue lo mejor", "podría ser una pérdida peor", "está mejor ahora") podría llevar a malas interpretaciones e incomprensiones. Todo lo que requiera que el doliente oculte o rechace sus sentimientos ("no tenemos derecho a cuestionar a Dios", "Dios debe amarte para haberte elegido para que cargues con este peso") también es un error.

Bajo el impacto de sus múltiples tragedias, Job estaba tratando desesperadamente de aferrarse a su autoestima, a su sentido de sí mismo como una buena persona. Lo último que necesitaba era que le dijeran que lo que estaba haciendo estaba mal. Tanto si las críticas eran acerca del modo en que expresaba su dolor o acerca de lo que había hecho para merecer ese destino, su efecto era como cubrir de sal una herida abierta.

Job necesitaba más comprensión que consejos, aunque fueran consejos buenos y correctos. Ya habría un momento y un lugar para los consejos, pero más adelante. En ese momento, necesitaba compasión, la sensación de que otros compartían su dolor mucho más que largas explicaciones teológicas acerca de los designios de Dios. Necesitaba consuelo físico, personas que compartieran su fortaleza con él, que lo abrazaran en lugar de regañarlo.

Necesitaba amigos que le permitieran sentir ira, llorar y gritar, mucho más de lo que necesitaba amigos que lo instaran a ser un ejemplo de paciencia y piedad para los demás. Necesitaba que la gente le dijera: "Sí, lo que te sucedió a ti es terrible y no tiene sentido", no personas que le dijeran: "Alégrate, Job, no todo está mal". Y en eso, sus amigos le fallaron. La frase "los amigos de Job" se ha incorporado al idioma para describir a las personas que tienen la intención de ayudar pero que están más preocupadas por sus propias necesidades y sentimientos que por los de la persona que las necesita, personas que, por eso, terminan por empeorar la situación.

Sin embargo, los amigos de Job hicieron por lo menos dos cosas bien. En primer lugar, fueron a visitarlo. Estoy seguro de que la perspectiva de ver a su amigo en la miseria les resultaba dolorosa, y deben de haber sentido la tentación de no acercársele, de dejarlo solo. No es agradable ver sufrir a un amigo, y la mayoría de nosotros preferiría evitar la experiencia. Pero si no nos acercamos, la persona que sufre, además de su tragedia, se siente aislada y rechazada. Y si vamos a visitarla pero tratamos de ignorar la razón por la cual estamos allí, el resultado no es mejor. Las visitas en el hospital o los llamados de pésame se convierten en conversaciones acerca del clima, la Bolsa, o las carreras, y asumen un aire de irrealidad completa porque no se menciona el tema que es ostensiblemente el esencial en la mente de todos los presentes. Los amigos de Job por lo menos tuvieron el valor de enfrentarse a él y su dolor.

Y en segundo lugar, lo escucharon. De acuerdo con el relato bíblico, se sentaron junto a él durante varios días, sin decir nada, mientras Job descargaba su dolor y su ira. Yo sospecho que ésa fue la parte más útil de su visita. Nada de lo que hicieron después benefició a Job tanto como eso. Cuando Job terminó de desahogarse, ellos debieron decirle: "Sí, realmente es terrible. No sabemos cómo puedes soportarlo", en lugar de sentirse obligados a defender a Dios y la sabiduría convencional. Su presencia silenciosa hubiera sido mucho más útil para su amigo que las largas explicaciones teológicas. Y todos podemos aprender una lección de esto.

Hace algunos años tuve una experiencia que me enseñó la forma en que la gente puede empeorar una situación que ya de por sí es mala, culpándose a sí misma. En enero, tuve que oficiar dos funerales, en días sucesivos, para dos ancianas de mi comunidad. Las dos fallecieron a "una edad avanzada", como diría la Biblia; las dos sucumbieron al desgaste normal de su cuerpo después de una vida larga y plena. Sus casas estaban próximas así que realicé las visitas de pésame a las dos familias en la misma tarde.

En la primera casa, el hijo de la mujer fallecida me dijo:

—Si hubiese mandado a mi madre a Florida y la

hubiera sacado de este frío y nieve, todavía estaría viva. Yo tengo la culpa de que haya muerto.

En la segunda casa, el hijo de la otra mujer fallecida me dijo:

—Si no hubiese insistido en que mi madre fuera a Florida, todavía estaría viva. Ese largo viaje en avión, el cambio abrupto de clima, fue demasiado para ella. Yo tengo la culpa de que haya muerto.

Cuando las cosas no resultan como lo deseamos, es muy tentador suponer que si las hubiésemos hecho de otro modo, la historia hubiera tenido un final feliz. Los religiosos saben que cada vez que se produce una muerte, los sobrevivientes se sienten culpables. Como el curso de acción que eligieron no salió bien, creen que el opuesto —retener a mamá en casa, postergar la operación— hubiera resultado mejor. Después de todo, ¿qué podría haber sido peor? Los sobrevivientes se sienten culpables porque ellos conservan la vida y en cambio, el ser querido ha muerto. Se sienten culpables cuando piensan en las palabras amables que jamás le dijeron, y las cosas buenas que nunca tuvieron tiempo de hacer por esa persona. Ciertamente, muchos de los rituales de todas las religiones tienen por fin ayudar a los deudos a desprenderse de esos sentimientos irracionales de culpa por una tragedia que ellos, en realidad, no causaron. Pero ese sentido de culpa, la sensación de que "yo tengo la culpa", parece ser universal.

Al parecer, hay dos elementos involucrados en nuestra predisposición a sentir culpa. El primero es nuestra necesidad extenuante de creer que el mundo tiene sentido, que hay una causa para cada efecto y una razón para todo lo que sucede. Eso nos lleva a encontrar patrones y relaciones tanto donde realmente existen (fumar produce cáncer de pulmón; la gente que se lava las manos tiene menos enfermedades contagiosas) como donde sólo las inventamos con nuestra mente (los Red Sox ganan cada vez que uso mi suéter de buena suerte; el muchacho que me gusta me habla los días impares, pero no los pares, excepto cuando hubo un feriado que modificó el patrón). ¿Cuántas supersticiones públicas y personales se basan en algo bueno o malo que sucedió inmediatamente después de que hicimos algo, y en nuestra suposición de que sucederá lo mismo cada vez que se presente el mismo patrón?

El segundo elemento es la noción de que *nosotros* somos la causa de lo que sucede, especialmente de las cosas malas. Aparentemente, hay una breve distancia entre creer que cada evento tiene una causa y creer que tenemos la culpa de cada desastre. Las raíces de este sentimiento pueden encontrarse en nuestra niñez. Los psicólogos mencionan el mito infantil de omnipotencia. Los bebés llegan a pensar que el mundo existe para satisfacer sus necesidades y que ellos hacen que las cosas sucedan. Se despiertan a la mañana y ponen en movimiento al resto del mundo. Lloran y alguien corre a atenderlos. Cuando tienen hambre, los alimentan, cuando se mojan, los cambian. Con frecuencia, no superamos por completo esa noción infantil de que nuestros deseos hacen que las cosas sucedan. Una parte de nuestra mente continúa creyendo que la gente enferma porque nosotros la odiamos.

En realidad nuestros padres suelen alimentar esa

noción. Sin comprender que nuestros egos infantiles son muy vulnerables, nos reprenden cuando están cansados o frustrados por razones que no tienen nada que ver con nosotros. Nos gritan por interponernos en su camino, por dejar los juguetes desparramados o por poner el televisor demasiado fuerte, y nosotros, en la inocencia de nuestra niñez, suponemos que tienen razón y que nosotros somos un problema. Su ira puede pasar en un instante, pero nosotros continuamos llevando las cicatrices de sentirnos culpables, pensando que cada vez que algo sale mal, nosotros debemos asumir la culpa. Años después, si nos sucede algo malo a nosotros o a las personas que nos rodean, los sentimientos de nuestra niñez vuelven a emerger y suponemos instintivamente que hemos vuelto a cometer un error.

Inclusive Job hubiera preferido que Dios documentara su culpa en lugar de admitir que se trataba de un error. Si le podían demostrar que merecía su destino, entonces por lo menos, el mundo tendría sentido. No es un placer sufrir por los errores propios, pero seguramente le parecía más fácil aceptar eso que descubrir que vivimos en un mundo desordenado en el cual las cosas suceden sin razón alguna.

Algunas veces, por supuesto, el sentimiento de culpa es adecuado y necesario. Algunas veces nosotros *hemos* causado la pena que aqueja nuestra vida y tenemos que asumir la responsabilidad. El hombre que acudió a mi oficina un día para contarme que había dejado a su esposa e hijos pequeños para casarse con su secretaria y me preguntó si podía ayudarlo a superar la culpa por lo que les había hecho a sus hijos, me estaba pidiendo algo inadecuado. *Debía* sentir culpa, y debía pensar en compensar a su primera familia en lugar de buscar el modo de desprenderse de su sentimiento de culpa. Conocer nuestras carencias y fallas, reconocer que podríamos ser mejores de lo que somos, es una de las fuerzas que impulsan el crecimiento moral y mejoran nuestra sociedad. Un sentido de culpa adecuado hace que la gente se esfuerce por ser mejor. Pero un sentido de culpa excesivo, una tendencia a culparnos por cosas de las cuales es evidente que no tenemos nada que ver, nos priva de nuestra autoestima y quizá de nuestra capacidad para crecer y actuar.

Una de las cosas más difíciles que tuvo que hacer Bob fue poner a su madre de setenta y ocho años en un geriátrico. Era un caso dudoso porque su madre estaba básicamente alerta y sana y no requería atención médica, pero ya no podía alimentarse sola ni cuidarse. Seis meses antes, Bob y su esposa la llevaron a vivir a su hogar porque su departamento se incendió cuando ella trataba de apagar una hornalla de la cocina. Se sentía sola, deprimida y confundida. La esposa de Bob debía regresar de su trabajo al mediodía para darle el almuerzo a su suegra y sentarla frente al televisor hasta que los niños regresaban del colegio. La hija adolescente de Bob redujo su vida social para cuidar a su abuela cuando Bob y su esposa salían. Les pidieron a los niños que no llevaran sus amigos a la casa: "Es una casa muy pequeña y hacen mucho ruido". Al cabo de unas pocas semanas, fue evidente que las cosas no funcionaban bien. Los miembros de la familia se estaban volviendo susceptibles e irritables. Cada uno mantenía un registro de las cosas a las que él o ella había tenido que "renunciar". Bob amaba a su madre, los niños amaban a la abuela, pero comprendieron que ella necesitaba más de lo que ellos podían darle. No estaban preparados para hacer los sacrificios de tiempo y modo de vida que exigía el cuidado de una anciana enferma. Lo conversaron una noche, hicieron algunas investigaciones y con reticencia, pero con una sensación palpable de alivio, la llevaron a un geriátrico de la zona. Bob sabía que estaba haciendo lo correcto, pero de todos modos se sentía culpable. Su madre no quería ir. Les dijo que sería menos exigente en la casa, que se interpondría menos en su camino. Lloró cuando vio a los otros residentes del geriátrico, más ancianos y tullidos que ella, preguntándose cuánto tiempo pasaría antes de que se pareciera a ellos.

Ese fin de semana, Bob, que por lo general no se consideraba una persona religiosa, decidió asistir a los servicios antes de ir a visitar a su madre. Tenía una sensación extraña acerca de la visita, sentía temor por lo que encontraría o lo que su madre le diría, y confiaba en que el servicio religioso le daría la tranquilidad y la paz mental que necesitaba. Desafortunadamente, el sermón de esa mañana versaba sobre el quinto Mandamiento: "Honrarás a tu padre y a tu madre". El clérigo habló de los sacrificios que hacen los padres para criar a sus hijos y sobre la reticencia de los hijos a valorar esos sacrificios. Criticó el egocentrismo de la generación joven actual diciendo: "¿Por qué será que una madre puede cuidar a seis hijos pero seis hijos no pueden cuidar a una madre?". Todas las personas que rodeaban a

Bob eran ancianos y ancianas que asentían con aprobación.

Bob salió de la iglesia sintiéndose herido y enojado. Sentía que acababan de decirle, en nombre de Dios, que era una persona egoísta y poco afectuosa. Durante el almuerzo, se comportó con irritación con su esposa e hijos. En el geriátrico, estuvo impaciente con su madre y no pudo ser afectuoso con ella. Se sentía avergonzado de lo que le había hecho y enojado con ella por ser la causa de su vergüenza y condena. La visita fue un desastre emocional, y todas las partes terminaron dudando de que la internación funcionara. Bob estaba obsesionado por la idea de que a su madre no le quedaba mucho tiempo de vida, y que cuando ella muriera, jamás podría perdonarse por haberle amargado los últimos años debido a su egoísmo.

La situación de Bob hubiera sido difícil bajo cualquier circunstancia. Los sentimientos de culpa, la ambivalencia, estaban presentes desde un comienzo. El estado de indefensión de los padres ancianos, sus ruegos a sus hijos, hacen surgir sentimientos de insuficiencia, resentimientos ocultos y culpa en muchas personas completamente decentes. Es una situación difícil de manejar bajo las mejores circunstancias. Los padres están, con frecuencia, asustados, son vulnerables y, algunas veces, también emocionalmente inmaduros. Pueden llegar a utilizar su enfermedad, soledad o la culpa para manipular a sus hijos a fin de que les presten la atención que necesitan desesperadamente. La proverbial madre judía que no deja de recordarles a sus hijos los sacrificios que hizo en nombre de su felicidad, creando una deuda que nadie podría saldar en una vida, se ha convertido en una figura clásica de la literatura y el humor. (¿Cuántas madres judías se necesitan para cambiar una bombita eléctrica? Ninguna; "No te preocupes por mí. Ve a divertirte. Yo estaré bien, sentada aquí en la oscuridad.") Pero la situación de Bob se agravó al oír la voz de la religión como una voz que lo juzgaba. Tiene que haber sermones que enseñen a honrar a los padres, pero deben elaborarse con cuidado para no jugar con la predisposición de la gente a sentirse culpable. Si esa mañana Bob hubiera estado más tranquilo, le podría haber dicho al predicador que, quizá, seis hijos no se pueden ocupar de una madre porque esos seis hijos están casados y tienen hijos. Le podría haber explicado que amaba a su madre, pero tenía una lealtad primaria con el bienestar de su propia esposa e hijos, así como su madre, cuando él era pequeño, amaba a sus padres pero se había preocupado más por él que por ellos. Si Bob se hubiera sentido más seguro de que lo que había hecho estaba bien, hubiese respondido a esas acusaciones. Pero como entró en la iglesia sintiéndose un poquito culpable, las palabras del ministro le parecieron una confirmación de su propia idea de que era, en realidad, un hombre malo y egoísta.

Nuestros egos son tan vulnerables, es tan fácil hacernos sentir que somos malas personas, que es indigno que la religión nos manipule de ese modo. Por cierto, el objetivo de la religión debería ser ayudarnos a sentirnos bien con nosotros mismos cuando hemos realizado elecciones honestas y razonables, pero algunas veces dolorosas, acerca de nuestra vida.

Aún más que los adultos, los niños tienden a verse como el centro de su mundo y a creer que sus acciones hacen que las cosas sucedan. Necesitan que les reafirmen que, cuando uno de sus padres fallece, ellos no fueron los causantes. "Papá no murió porque estabas enojado con él. Murió porque sufrió un accidente (o una enfermedad grave) y los médicos no pudieron hacer nada para que mejorara. Sabemos que amabas a tu papá, aunque a veces te enojabas con él. Todos nos enojamos alguna vez con las personas que amamos, pero eso no significa que no las amemos o que realmente deseamos que les suceda algo malo."

Los niños necesitan saber que el padre que falleció no los rechazaba ni *eligió* dejarlos, idea que podrían formarse con facilidad a partir de explicaciones tales como: "Papá se fue y no va a volver". El autor del Salmo Veintisiete de la Biblia, un adulto maduro y gran poeta, habla de la muerte de sus padres en esos términos: "Pues mi padre y mi madre me han dejado". Está tan involucrado emocionalmente en la muerte de sus padres que no puede ver las cosas desde el punto de vista de ellos, que estaban enfermos y fallecieron, sino únicamente desde el suyo, que le hace creer que *ellos* lo dejaron a *él*. Es conveniente asegurarle al niño que su padre deseaba vivir, que deseaba regresar a casa del hospital y hacer cosas con él como las hacía antes, pero que la enfermedad o el accidente fueron tan graves que le fue imposible hacerlo.

Otro modo de privar a un niño de la oportunidad de desahogar su pena es tratar de hacerlo sentir mejor diciéndole que el cielo es hermoso y que su padre debe sentirse muy feliz de estar con Dios. Cuando lo hacemos, le pedimos al niño que niegue y desconfíe de sus propios sentimientos, que sea feliz cuando en realidad está triste como todos los que lo rodean.

En un momento así, se debe reconocer el derecho del niño a sentirse triste y enojado, y el hecho de que es correcto que sienta enojo contra la situación (no contra el padre fallecido o contra Dios).

La muerte de otro niño, ya sea un hermano, un amigo o un desconocido cuyo fallecimiento se publicita en los medios, también introduce en el mundo del niño una sensación de vulnerabilidad. Por primera vez, comprende que le puede suceder algo atemorizante y doloroso a alguien de su misma edad. Cuando hacía menos de un año que estaba en mi congregación actual, me llamaron para que diera a los padres la noticia de que un niño de cinco años había sido atropellado por el ómnibus que lo llevaba de regreso a su casa de una excursión escolar. Además de tratar de ayudar a los padres a manejar su inmensa pena (y de manejar mis propios sentimientos: me agradaba el niño, me agradaba la familia, y acababa de enterarme de que mi propio hijo moriría joven), tuve que explicarles a mis hijos y a otros pequeños de la comunidad cómo era posible que algo así le pasara a un niño pequeño.

(Cuando me marchaba para acompañar a los padres la tarde después del accidente, mi hijo Aaron, que entonces tenía cuatro años, me preguntó adónde iba. Yo no quería decirle que un niño de casi su misma edad acababa de morir; sabía que tendría que salir y no podríamos conversar sobre el tema; así que le dije que un niño había sufrido un accidente y que iba a ver cómo estaba. A las siete de la mañana del día siguiente, las primeras palabras que me dijo Aaron fueron: "¿El niño está bien?")

Mi respuesta a los vecinos y compañeros de jardín del niño muerto estuvo compuesta de dos partes. Primero, les dije que lo que le había sucedido a Jonathan era poco usual. Por eso todos hablaban del tema. Por eso lo mencionaban en la radio y en la primera plana del periódico de la zona. Esas cosas sucedían muy pocas veces; cuando sucedían, eran una gran noticia precisamente porque eran poco comunes. Casi todo el tiempo, los niños bajan de los ómnibus y cruzan la calle a salvo. Casi todo el tiempo, los niños que se caen y lastiman mejoran después de un breve tiempo. Casi todo el tiempo, cuando los niños enferman los médicos pueden curarlos. Pero algunas veces, en ocasiones muy poco comunes, un niño se lastima o enferma y nadie puede curarlo, y muere. Cuando eso sucede, todos están muy sorprendidos y muy tristes.

Después, les dije a los niños que no deseaba que pensaran que lo que le había sucedido a Jonathan era un castigo por haberse portado mal. Que si en ese momento se estaban acordando de que él había hecho algo un poquito malo unos días antes, y lo relacionaban con el hecho de que ahora lo había atropellado un ómnibus, no pensaran que si ellos hacían la misma travesura les pasaría algo semejante. Jonathan no murió atropellado porque era un niño malo y merecía un castigo. Él merecía seguir viviendo, jugando y divirtiéndose pero ese día había sucedido ese accidente terrible y sin sentido.

Los niños que se trastornan cuando ven a una persona tullida o discapacitada, o se apartan de un ciego o de un hombre con un miembro artificial porque los atemoriza el pensamiento de que algo similar les podría suceder a ellos, deben recibir una explicación similar: No sé qué le sucedió a ese hombre. Quizá sufrió un accidente. Quizá tuvo una enfermedad grave. Quizás estuvo en el ejército, luchando para proteger nuestro país, y recibió una herida. Pero ciertamente su discapacidad no significa que fue una mala persona y que Dios lo castigó. (Piensen en todos los cuentos infantiles en los cuales se presenta a los jorobados, los contrahechos, mancos o rengos, como el Capitán Garfio, archienemigo de Peter Pan, como villanos infrahumanos que amenazan a los niños.) Podemos esforzarnos por mostrarles a los niños el noventa y cinco por ciento de una persona que es normal, en lugar del único órgano defectuoso cuando ven a otro con esas características o se ven a sí mismos. Algunas veces, una conversación abierta con un lisiado o discapacitado acerca de su extremidad artificial o su falta de vista puede borrar la sensación de lo desconocido y atenuar el temor que siente el niño. (Sin embargo, esto no siempre será posible. Algunas veces a las personas tullidas o discapacitadas les resulta difícil sentir que las miran o hablar de sus enfermedades. Necesitan, por su propia estabilidad emocional, que se las considere iguales a los demás.)

Los niños son especialmente susceptibles a los sentimientos de culpa. Pero inclusive siendo adultos, muchos de nosotros jamás superamos totalmente esa tendencia. Una palabra equivocada, inclusive de alguien que trata de ser útil, servirá para reforzar el sentimiento de que, en realidad, tuvimos la culpa.

Beverly quedó destrozada cuando su esposo le anunció que la dejaba. Llevaban cinco años de casados. No tenían hijos; él la había convencido de que no se podían dar el lujo de que ella dejara de trabajar. Habían discutido muchas veces, pero Beverly pensaba que su matrimonio no era ni peor ni mejor que los de sus amigos. Y entonces, un sábado a la mañana, él le dijo que había decidido marcharse. Le dijo que ella lo aburría, que otras mujeres le parecían más interesantes, y que no consideraba justo que en esas circunstancias los dos se sintieran "atados". Una hora después, había hecho sus valijas y estaba camino al departamento de un amigo. Atontada, Beverly condujo hasta la casa de sus padres y les dio la noticia. Sus padres lloraron con ella, la consolaron, en forma alternativa pronunciaron palabras amargas contra su esposo y le dieron consejos prácticos acerca de los abogados, las llaves de la casa y las cuentas bancarias.

Después de la cena, la madre de Beverly, una mujer afectuosa y atenta, se quedó a solas con su hija y trató de conversar del tema con ella. Tratando de ser útil, le preguntó acerca de la vida sexual de la pareja, sus finanzas, su forma de relacionarse, buscando una clave que indicara el origen del problema. De pronto, Beverly apoyó con fuerza su taza de café y exclamó:

—¿Podrías dejar de hacer esto? Estoy cansada de oír: "Quizá si hubieses hecho esto o si no hubieses hecho aquello". Lo dices de un modo que parece que yo tengo la culpa. Me estás diciendo que si me hubiera esforzado más por ser una buena esposa, él no me hubiese abandonado. Bueno, eso no es justo. Yo fui una buena esposa. No merezco que me pase esto. ¡Yo *no* tengo la culpa!

Y tenía razón, así como su madre hacía lo correcto al tratar de conversar con ella y consolarla. Es gratuito, inclusive cruel, decirle a una persona que está herida debido a un divorcio, una muerte u otro desastre: "Quizá si hubieses actuado de otro modo, las cosas no hubieran salido tan mal". Cuando decimos esas palabras, en realidad le estamos diciendo: "Tú tienes la culpa por haber elegido como lo hiciste". Algunas veces los matrimonios fracasan porque la gente es inmadura o porque las expectativas de ambas partes no son realistas. Algunas personas mueren porque sufren enfermedades incurables, no porque su familia recurrió al médico equivocado o esperó demasiado para llevarla al hospital. Algunas veces las empresas quiebran debido a la situación económica o a una competencia feroz, no porque la persona que estaba a cargo tomó una decisión equivocada en un momento crucial. Si deseamos recoger los trozos de nuestra vida y continuar viviendo, debemos superar el sentimiento irracional de que tenemos la culpa de cada desgracia, de que fue el resultado directo de nuestros errores o mal comportamiento. En realidad no tenemos tanto poder. No somos responsables de todo lo que sucede en el mundo.

Hace algunos años, oficié el funeral de una mujer de treinta y ocho años que falleció de leucemia, dejando un esposo y un hijo de quince años. Cuando entré en su casa después del entierro, oí que una de sus tías le decía al muchacho:

—No te sientas mal, Barry. Dios se llevó a tu madre porque Él la necesitaba más que tú.

Le doy a la tía el beneficio de la duda: estoy seguro de que estaba tratando de consolar a Barry. Intentaba, de algún modo, encontrarle sentido a un hecho horrible y trágico. Pero creo que por lo menos hizo tres cosas muy graves en esas dos oraciones.

En primer lugar, le dijo a Barry que no se sintiera mal. ¿Pero por qué no iba a sentirse mal el día del funeral de su madre? ¿Por qué no podía sentir sinceramente el dolor, la ira, la sensación de pérdida? ¿Por qué debía censurar sus sentimientos sinceros y legítimos para que el día fuera más fácil para los demás?

En segundo lugar, le explicó la muerte de su madre diciendo que Dios "se la había llevado". Yo no creo eso. No encaja con el modo en que comprendo a Dios, y sólo puede servir para que Barry sienta resentimiento contra Dios y se cierre al consuelo que le puede ofrecer la religión.

Pero lo que es aún más grave, sugirió que Dios se había llevado a la madre de Barry porque la necesitaba más que él. Creo comprender lo que ella intentaba decir. Quería decir que la muerte de su cuñada no carecía de sentido, que servía un propósito en el plan divino. Pero sospecho que ése no fue el mensaje que recibió Barry. Lo que Barry oyó fue: "Tú tienes la culpa de la muerte de tu madre. No la necesitaste lo suficiente. Si la hubieras necesitado más, todavía estaría con vida".

¿Recuerdan cómo se sentían a los quince años

cuando daban sus primeros pasos tambaleantes para independizarse, amando y necesitando a sus padres y sin embargo impacientes por el hecho de necesitarlos, esperando con ansias el día en que pudieran superar esa necesidad y valerse por ustedes mismos? Si Barry era un quinceañero típico, comía la comida que sus padres compraban y le cocinaban, usaba la ropa que ellos le compraban, vivía en una habitación de su casa, tenía que pedirles que lo llevaran en auto adonde necesitaba ir, y soñaba con el día en que ya no los necesitara de ese modo. Pero, de pronto, su madre muere y su tía le explica su muerte diciéndole: "No la necesitaste lo suficiente, por eso murió". Eso no era lo que Barry necesitaba oír ese día.

Tuve que pasar muchas horas con Barry para superar la ira inicial que sentía contra mí como representante del Dios cruel que le había arrebatado a su madre, para superar su reticencia a hablar de un tema doloroso que temía pusiera en evidencia su culpa y su vergüenza. Tuve que persuadirlo de que no tenía la culpa de la muerte de su madre. Ella no falleció porque él sintiera resentimiento contra ella, la descuidara, la exasperara o algunas veces quisiera con toda su alma que lo dejara tranquilo. Ella murió porque tenía leucemia. Le dije que no sabía por qué su madre tenía leucemia. Que no sabía por qué cualquiera de las personas del mundo que la tenía, tenía leucemia. Pero que creía con todas mis fuerzas que Dios no lo había deseado, ni como un castigo para él ni como un castigo para ella. Le dije a Barry, como considero que la gente religiosa debe decirles a aquellos que han sido heridos por la vida: "Tú no tuviste la culpa. Eres una persona buena y decente y merecías algo mejor. Comprendo que te sientas herido, confuso, enojado por lo que sucedió, pero no hay motivo para sentir culpa. Como hombre de fe, vengo a verte en nombre de Dios, no para juzgarte sino para ayudarte. ¿Me vas a dejar que te ayude?"

Cada vez que le pasa algo malo a la gente buena, está latente el sentimiento de que si hubiésemos actuado de un modo diferente podríamos haber evitado la desgracia. Y siempre habrá sentimientos de ira. Es instintivo, aparentemente, sentir ira cuando estamos heridos. Me golpeo el dedo del pie con una silla y me enojo con la silla por estar en ese lugar y conmigo por no mirar por dónde voy. Una de las preguntas importantes que debemos hacernos cuando estamos heridos y enojados es: ¿qué hacer con nuestra ira?

Linda, una consejera escolar, regresó a su departamento una tarde y descubrió que habían entrado ladrones. Su televisor y su grabador habían desaparecido. Faltaban las alhajas que le había regalado su abuela. La ropa estaba diseminada por todo el departamento; el contenido del cajón de su ropa interior estaba desparramado en el suelo. Linda se sentía más herida y molesta por esa invasión a su privacidad que por la pérdida monetaria. Sintiendo casi como si la hubieran violado físicamente, se desplomó en una silla y lloró por la injusticia del mundo. Una mezcla complicada de emociones se apoderó de ella. Se sentía herida, avergonzada sin saber por qué, enojada consigo misma por no haber tomado los recaudos para que el departamento fuera más seguro, enojada con su trabajo por alejarla de su hogar y hacer que sus cosas fueran más fáciles de alcanzar para los ladrones, y por hacerla regresar tan agotada emocionalmente que no podía manejar ese insulto adicional. Estaba enojada con el portero del edificio y el policía de la esquina por no proteger mejor su propiedad, enojada con la ciudad por llenarse de vagos y criminales, y con el mundo en general por ser tan injusto. La habían herido y sabía que estaba profundamente perturbada, pero estaba confusa acerca de hacia quién dirigir su ira.

Algunas veces descargamos nuestra ira en la persona que nos hirió: el supervisor que nos despidió, la esposa que nos abandonó, el conductor que causó el accidente. Algunas veces, debido a que nuestra ira supera nuestra capacidad de dominio, buscamos a alguien a quien culpar, sea culpable o no, convenciéndonos de que ellos podrían y deberían haber evitado la tragedia. En ocasiones he conversado con personas que, al relatarme la muerte de su esposa o de un hijo ocurrida diez años antes, se enfurecían con el médico con el cual no se habían podido comunicar o que se equivocó de diagnóstico con la misma furia con que lo habían hecho cuando se produjo la muerte del ser querido.

Una de las peores circunstancias de ese tipo es el intercambio de acusaciones entre esposa y esposo después de la muerte de un hijo. "¿Por qué no lo cuidabas con más atención?" "¿Por qué no estabas en casa para darme una mano y así yo no hubiera estado sobrecargada de trabajo?" "Tal vez si lo hubieses alimentado mejor..." "Si no hubiese tomado frío en esa estúpida excursión de pesca que tú querías..." "Mi familia siempre fue sana, tus parientes siempre están enfermos." Un hombre y una mujer que se aman han recibido una herida profunda. Esa herida genera ira y la descargan en la persona más próxima.

El caso del hombre que pierde su trabajo y descarga su ira en su mujer es similar, aunque no igualmente trágico. Ella le impidió concentrarse en su trabajo al recargarlo con los problemas del hogar, lo desmoralizó, no atendió correctamente al jefe o al cliente importante.

Algunas veces, cuando no encontramos otra persona en quien descargar nuestra ira, lo hacemos en nuestra propia persona. Los libros de texto definen la depresión como ira contenida en lugar de descargada. Supongo que todos conocemos personas que se deprimieron después de una muerte, un divorcio, un rechazo o la pérdida de un trabajo. Se quedaban en su casa, dormían hasta la tarde, descuidaban su aspecto exterior y desalentaban toda relación amistosa. Así es la depresión, la ira que sentimos por la herida que recibimos termina volcada hacia nosotros mismos. Si nos culpamos, deseamos herirnos, castigarnos por nuestros errores.

Y algunas veces estamos enojados con Dios. Como nos enseñan a creer que todo lo que sucede se debe a Su voluntad, lo hacemos responsable de lo sucedido, o por lo menos de no haber evitado que sucediera. La gente religiosa deja de serlo, debido tal vez a que descubre que las oraciones y las ceremonias ya no expresan sus sentimientos ("¿por qué he de dar gracias?"), quizá como un modo de "quedar a mano con Dios". Algunas veces, una tragedia hace que la gente no religiosa se vuelva religiosa de un modo iracundo, desafiante.

—Tengo que creer en Dios —me dijo cierta vez un hombre— porque de ese modo puedo culpar a alguien, maldecirlo y gritarle, cuando pienso en las cosas que tuve que soportar.

En su novela *La promesa*, Chaim Potok relata la historia de un muchacho que enferma mentalmente porque no puede manejar la ira que siente contra su padre. Michael Gordon ama y admira tanto a su padre que no puede enfrentar el hecho de que muchas veces siente resentimiento contra éste y se enoja consigo mismo. El psiquiatra, Danny Saunders, logra ayudar a Michael porque él mismo tuvo que elaborar sus propios sentimientos ambivalentes de amor-odio-admiración-ira hacia su padre poderoso, admirable y dominante, y lo logró con éxito. Uno de los personajes secundarios más fascinantes de *La promesa* es el rabino Kalman, un maestro del seminario rabínico al cual asiste el mejor amigo de Danny (que es el personaje que narra la historia). El rabino Kalman es sobreviviente del Holocausto. Su esposa e hijos murieron en los campos de concentración. Es un judío ortodoxo rígido que considera que es un pecado formularse preguntas acerca de Dios, querer saber por qué Él hace las cosas que hace. Cree que hay que tener una fe ciega, sin dudas.

Aunque Potok no lo dice explícitamente, comprendí que el personaje del rabino Kalman tenía el fin de proporcionar un paralelo de Danny Saunders y Michael Gordon. Así como Michael se enferma porque no puede manejar la ira que siente contra su padre, el rabino Kalman se convierte en una persona tiránica y poco comprensiva porque no puede enfrentar la ira que siente contra su Padre Celestial.

El rabino Kalman no permite dudas ni cuestionamientos en cuanto a Dios porque en algún lugar de su mente sabe que está furioso contra Él por la muerte de su familia, y sabe que cualquier pregunta terminará con un estallido de ira contra Dios, quizá con el rechazo total de Dios y la religión. No puede correr el riesgo de que suceda eso. ¿Teme el rabino Kalman que su ira, si alguna vez la desata, sea tan poderosa que podría destruir a Dios? ¿O teme que, si alguna vez revela la magnitud de su ira, Dios lo castigará aún más?

En la novela, Michael recupera su integridad cuando le enseñan a no sentir temor de su ira. Su ira es normal, comprensible y mucho menos destructiva de lo que él cree. Aprende, con inmenso alivio, que está bien sentir ira contra la gente que uno ama. Pero nadie le dice al rabino Kalman que está bien sentir ira contra Dios.

En realidad, estar enojado con Dios no lastimará a Dios, ni tampoco lo provocará para que tome medidas contra nosotros. Si descargar nuestra ira contra Él debido a una situación dolorosa, nos hace sentir bien, tenemos libertad para hacerlo. Lo único que está mal al hacer eso es que lo que sucedió, en realidad, no es culpa de Dios.

¿Qué hacemos con nuestra ira cuando hemos sido heridos? El objetivo, si podemos lograrlo, sería *enojarnos con la situación*, en lugar de con nosotros mismos, o con aquellos que podrían haberla impedido o están cerca de nosotros para ayudarnos, o con Dios, que permitió que sucediera. Enojarnos con nosotros mismos nos deprime. Enojarnos con los demás los aleja y no permite que nos ayuden.

Enojarnos con Dios levanta una barrera entre nosotros y todos los recursos de apoyo y consuelo de la religión, esos recursos que podrían ayudarnos en esas circunstancias. Pero enojarnos con la situación, reconocer que es algo desagradable, injusto y totalmente inmerecido, gritar contra ella, denunciarla, llorar por ella, nos permite descargar la ira que forma parte de nuestra herida, sin hacer que resulte más difícil brindarnos ayuda.

La envidia y los celos forman parte de las heridas de la vida de un modo casi tan inevitable como la culpa y la ira. ¿Por qué la persona herida no habrá de sentir envidia de las personas que quizá no merezcan algo mejor pero lo tienen? ¿Por qué la viuda no ha de sentir envidia de sus amigas más íntimas que todavía tienen a su esposo junto a ellas? ¿Cómo debería reaccionar la mujer cuyo médico le ha dicho que no podrá tener hijos cuando su cuñada le confía que algo debe de haber salido mal y está embarazada de su cuarto hijo?

No tiene sentido tratar de moralizar contra los celos y la envidia y convencer a la gente de que no debe sentirlos. Los celos son un sentimiento muy fuerte. Nos tocan en lo más profundo, hiriéndonos en donde más nos duele. Algunos psicólogos ubican su origen en la rivalidad entre hermanos. De niños, competimos con nuestros hermanos y hermanas por el amor y la atención limitada de nuestros padres. Para nosotros es muy importante no sólo que nos traten bien sino que nos traten mejor que a los demás. La pechuga del pollo, el postre más grande, no son sólo porciones de comida sino declaraciones simbólicas acerca de a qué hijo prefieren nuestros padres.

Nosotros anhelamos y competimos por la seguridad que nos daría ganar el concurso del amor, no por la comida. (¿Sabían que la primera mención de la palabra "pecado" en la Biblia no está relacionada con el hecho de que Adán y Eva comieran el fruto prohibido sino con el momento en que Caín mató a su hermano Abel en un arranque de celos porque Dios prefería los regalos de Abel y no los suyos?) Muchas veces al crecer no superamos los hábitos de competencia de la niñez, la necesidad de que nos aseguren que somos los "más queridos", así como tampoco superamos totalmente el hábito de pensar en Dios como un Padre Celestial. El hecho de que suframos un accidente o una desgracia es malo, pero que nos suceda a nosotros y no a los que nos rodean es aun peor, porque despierta la competitividad infantil que llevamos dentro y parece proclamar a todos los vientos que Dios los ama más a ellos que a nosotros.

Comprendemos que es lógica la afirmación de que no tendríamos más salud si nuestros amigos y vecinos estuvieran gravemente enfermos, y también la que dice que no nos causaría placer que lo estuvieran. Sabemos perfectamente que nos sentiríamos igualmente solas en nuestro dolor si los esposos de nuestras amigas fallecieran, y no deseamos realmente que eso suceda. (Sucederá algún día y entonces tendremos que soportar nuestros sentimientos de culpa por haberlo deseado.) Pero aunque sepamos todo eso, de todos modos sentiremos resentimiento contra ellos porque tienen su salud, su familia, su trabajo y nosotros los hemos perdido. Podemos comprender, inclusive, que al sentir resentimiento por la buena suerte de la gente que nos rodea, no les permitimos que nos ayuden porque ellos sospechan que hay resentimiento. Al sentir envidia, nos herimos más a nosotros mismos de lo que pueden herirnos los demás, y lo sabemos. Pero no podemos evitarlo.

Hay un antiguo cuento chino acerca de una mujer cuyo único hijo muere. Presa del dolor, va a ver al hombre sabio y le dice:

—¿Qué oraciones, qué encantamientos mágicos conoces para devolverle la vida a mi hijo?

En lugar de echarla o tratar de razonar con ella, el sabio le dice:

—Tráeme una semilla de mostaza de un hogar que no haya tenido jamás una pena. La usaremos para alejar la pena de tu vida.

La mujer partió de inmediato en busca de la semilla de mostaza mágica. Primero llegó a una espléndida mansión, llamó a la puerta y dijo:

—Estoy buscando un hogar que no haya tenido jamás un pena. ¿Podría ser esta casa? Es muy importante para mí.

Le respondieron:

—Has venido a un mal lugar —y comenzaron a relatarle todas las cosas trágicas que les habían sucedido.

La mujer pensó: "¿Quién mejor que yo que he tenido una desgracia, para ayudar a estos pobres desafortunados?". Se quedó con ellos y los consoló y después siguió su búsqueda de un hogar donde jamás hubo una pena. Pero dondequiera que fuera, en chozas y en palacios, encontró un relato tras otro de tristezas e infortunios. Finalmente, se dedicó con tanto empeño a consolar el dolor ajeno que olvidó su búsqueda de la semilla de mostaza mágica, sin comprender jamás que, en realidad, había alejado la pena de su vida.

Quizá, la única cura para los celos y la envidia sea comprender que la gente que envidiamos y contra la cual sentimos resentimiento porque tiene aquello de lo cual carecemos, probablemente también tiene heridas y cicatrices. Es posible, inclusive, que ellos nos envidien a nosotros. La mujer casada que trata de consolar a su vecina viuda puede tener razones para temer que su esposo pierda su trabajo. Puede tener un hijo delincuente por el cual está preocupada. La cuñada embarazada puede haber recibido alguna noticia perturbadora acerca de su salud. Cuando yo era un rabino joven, la gente se resistía a mis esfuerzos por ayudarla en sus momentos de pena. ¿Quién era yo, joven, sano, con un buen trabajo, para recitarles lugares comunes acerca de compartir su dolor? Sin embargo, con el correr de los años, a medida que se enteraban de la enfermedad y diagnóstico de nuestro hijo, la resistencia se diluyó. Comenzaron a aceptar mis palabras de consuelo porque ya no tenían motivos para sentir resentimiento por mi buena suerte. Había dejado de ser el hijo favorito de Dios. Era su hermano en el sufrimiento, y así me permitían que los ayudara.

Pero la verdad es que todos son nuestros hermanos o hermanas en el sufrimiento. Nadie llega a nosotros de un hogar donde jamás hubo una pena. Llegan a ayudarnos porque ellos también saben lo que se siente cuando las vida nos hiere.

No creo que debamos competir unos con otros por la gravedad de nuestros problemas. ("¿Y tú crees que tienes problemas? Ahora te voy a contar los míos para que sepas lo bien que estás.") Esa clase de competencia no logra nada. Es tan perjudicial como la competencia que despiertan la rivalidad entre hermanos y los celos y la envidia. La persona que sufre no busca una invitación para participar en las Olimpíadas del Sufrimiento. Pero si nos acordamos de lo que voy a decir ahora, creo que eso puede servirnos de ayuda: Es probable que la angustia y el pesar no estén distribuidos equitativamente en el mundo, pero están ampliamente distribuidos. Todos reciben su parte. Si conociéramos todos los hechos, muy rara vez encontraríamos a alguien cuya vida merezca ser envidiada.

7

DIOS NO PUEDE HACER TODO, PERO SÍ ALGUNAS COSAS IMPORTANTES

Una noche, poco antes de las once, sonó el teléfono de mi casa. Tengo la impresión de que los teléfonos suenan de un modo especial, siniestro, cuando es de noche y tarde, como si antes de responder ya quisieran decirnos que ha sucedido algo malo. Atendí y la voz del otro extremo se identificó como alguien a quien no conocía y que, además, no era miembro de mi congregación. Me dijo que su madre estaba en el hospital y sufriría una operación grave a la mañana siguiente, y me pidió que rezara una oración por su recuperación. Traté de obtener más información pero era evidente que el hombre estaba perturbado. Me conformé con escribir el nombre hebreo de su madre y le aseguré que ofrecería la plegaria y le deseé lo mejor para ambos. Cuando corté me sentí preocupado, como me sucede con frecuencia después de conversaciones como ésa.

Rezar por la salud de una persona, por el resultado favorable de una operación, tiene implicaciones que deberían perturbar a una persona consciente. Si las oraciones funcionaran como muchas personas piensan que lo hacen, nadie moriría jamás, porque ninguna oración se ofrece con más sinceridad que las oraciones por la vida, la salud y la recuperación de una enfermedad, tanto nuestra como de las personas que amamos.

Si creemos en Dios, pero no lo hacemos responsable de las tragedias de la vida, si creemos que Dios desea que haya justicia y equidad pero no siempre puede lograrlas, ¿qué estamos haciendo cuando le rogamos a Dios que una crisis de nuestra vida tenga un resultado favorable?

¿Creo realmente —y lo cree el hombre que me llamó— en un Dios que tiene el poder de curar la malignidad e influir en el resultado de la cirugía, y lo hará únicamente si la persona correcta recita las palabras exactas en el lenguaje preciso? ¿Y Dios dejará morir a una persona porque un extraño, cuando rezaba por ella, se equivocó al utilizar algunas palabras? ¿Quién de nosotros podría respetar o venerar a un Dios cuyo mensaje implícito fuera: "Yo podría haber sanado a tu madre, pero tú no rogaste ni rezaste lo suficiente"?

Y si no obtenemos aquello por lo cual rezamos, ¿cómo evitamos enojarnos con Dios o sentir que Él nos juzgó y nos encontró culpables? ¿Cómo evitamos sentir que Dios nos defraudó cuando más lo necesitábamos? ¿Y cómo evitamos la alternativa igualmente indeseable de sentir que Dios nos desaprueba?

Imaginemos la mente y corazón de un niño ciego o tullido a quien le enseñaron historias piadosas con final feliz, historias de gente que rezó y se curó milagrosamente. Imaginemos a ese niño orando con toda la sinceridad e inocencia de su corta edad, pidiéndole a Dios que lo haga sano como el resto de los niños. Y después imaginemos su dolor, su ira contra Dios y todos los que le relataron esas historias, o volcada contra sí mismo cuando comprende que su discapacidad será permanente. ¿Qué mejor modo de enseñarles a los niños a odiar a Dios que enseñarles que Dios los podría haber curado pero "por su propio bien" prefirió no hacerlo?

Hay muchas formas de responderle a la persona que pregunta: "¿Por qué no conseguí lo que pedí en mi plegaria?". Y la mayoría de las respuestas son problemáticas, producen sentimientos de culpa, ira o impotencia.

—No conseguiste lo que pedías en tu plegaria porque no lo merecías.

—No conseguiste lo que pedías en tu plegaria porque no rezaste con suficiente empeño.

—No conseguiste lo que pedías en tu plegaria porque Dios sabe mejor que tú lo que te conviene.

—No conseguiste lo que pedías en tu plegaria porque los ruegos de otra persona por el resultado opuesto fueron mejores.

—No conseguiste lo que pedías en tu plegaria porque la oración es una farsa; Dios no escucha las oraciones.

—No conseguiste lo que pedías en tu plegaria porque Dios no existe.

Si no estamos satisfechos con ninguna de esas respuestas, pero no queremos renunciar a la idea de la oración, existe otra posibilidad. Podemos modificar nuestra idea de lo que significa rezar y lo que significa que nuestras oraciones sean escuchadas.

El Talmud, la recopilación de las Leyes Judías que

cité previamente en este libro, da ejemplos de oraciones malas o inadecuadas que no se deben pronunciar. Si una mujer está embarazada, ni ella ni su esposo deben rezar: "Que Dios nos conceda que este niño sea varón" (ni tampoco pueden pedir que sea una niña). El sexo del niño se determina en el momento de la concepción y no se puede invocar a Dios para que lo cambie. Del mismo modo, si un hombre ve que una autobomba se dirige a toda velocidad hacia su vecindario, no debe rezar: "Por favor, Dios, que el incendio no sea en mi casa". No sólo es mezquino rezar para que se incendie la casa de otra persona en lugar de la propia sino además inútil. Ya se produjo el incendio en una casa; la oración más sincera o mejor enunciada no afectará la cuestión de a quién le pertenece esa casa.

Podemos extender esta lógica a situaciones contemporáneas. Sería igualmente inadecuado que un alumno de quinto año que sostiene en la mano una carta de la oficina de ingreso de una universidad, rogara: "Por favor, Dios, que me hayan aceptado"; o que una persona que espera el resultado de una biopsia, rezara: "por favor, Dios, que esté todo bien". Como en los casos talmúdicos de la mujer embarazada y la casa en llamas, ciertas condiciones ya existen. No podemos pedirle a Dios que retroceda y vuelva a escribir el pasado.

Y, como lo sugerimos previamente, tampoco le podemos pedir a Dios que cambie las leyes de la naturaleza para nuestro beneficio, que haga que las condiciones fatales sean menos fatales o que cambie el curso inexorable de una enfermedad. Algunas veces suceden milagros. Los tumores malignos desaparecen misteriosamente; pacientes incurables se recuperan, y los médicos asombrados le dan el crédito a un acto de Dios. Lo único que podemos hacer en esos casos es compartir la gratitud y el asombro de los médicos. No sabemos por qué algunas personas se recuperan espontáneamente de una enfermedad que mata o deja tullidas a otras. No sabemos por qué algunas personas mueren en accidentes de auto o avión mientras que otras, sentadas junto a ellas, salen con sólo unos cortes y moretones y un gran susto. No puedo creer que Dios elija escuchar las oraciones de algunos y no las de otros. Eso no tendría ni ton ni son. Por más que investigáramos la vida de los que murieron y los que sobrevivieron no lograríamos averiguar cómo debemos vivir o rezar para obtener los favores de Dios.

Cuando ocurre un milagro, y la gente logra sobrevivir a pesar de todo, lo mejor que podemos hacer es inclinar la cabeza en señal de agradecimiento ante la presencia de un milagro y no pensar que nuestras oraciones, contribuciones o abstinencias fueron las que lo lograron: la próxima vez que lo intentemos, nos podríamos preguntar por qué nuestras plegarias no fueron efectivas.

Otra categoría de plegarias cuyo rezo no es adecuado son las oraciones cuyo objeto es dañar a alguien. Si la oración, como la religión en conjunto, tiene por objeto engrandecer nuestra alma, no debe ser puesta al servicio de la mezquindad, la envidia o la venganza. Se cuenta una historia acerca de dos tenderos que eran grandes rivales. Sus tiendas estaban una frente a la otra y se pasaban los días sentados en la puerta observando el negocio de su competidor. Si uno de ellos recibía un cliente, le sonreía triunfante a su rival. Una noche, a uno de los tenderos se le apareció un ángel en sus sueños y le dijo:

—Dios me ha enviado a darte una lección. Te dará todo lo que pidas pero quiero que sepas que, sea lo que fuere, tu competidor del otro lado de la calle obtendrá el doble. ¿Quieres ser rico? Puedes ser muy rico, pero el será el doble que tú. ¿Quieres vivir una vida larga y sana? Puedes, pero su vida será más larga y sana. Puedes ser famoso, tener hijos de los cuales te enorgullecerás, todo lo que desees. Pero sea lo que fuere, él obtendrá el doble.

El hombre frunció el ceño, pensó unos instantes y dijo:

—Está bien, te pido que me dejes ciego de un ojo.

Finalmente, no podemos rezar pidiéndole a Dios algo que está dentro de nuestras facultades, para evitarnos el trabajo de hacerlo. Un teólogo contemporáneo escribió las siguientes palabras:

> No podemos rogarte simplemente, Oh Dios, que termines las guerras;
> sabemos que creaste el mundo de tal modo
> que el hombre debe encontrar su propio camino hacia la paz
> dentro de sí mismo y con su vecino.
> No podemos rogarte simplemente, Oh Dios, que termines con el hambre;
> ya nos has dado los recursos
> con los que se alimentaría todo el mundo
> si sólo los usáramos con sabiduría.
> No podemos rogarte simplemente, Oh Dios, que destierres los prejuicios;

ya nos has dado ojos
con los que veríamos lo bueno en todos los hombres
si sólo los usáramos correctamente.
No podemos rogarte simplemente, Oh Dios, que
termines con la desesperación;
ya nos has dado el poder
de derrumbar y reconstruir los barrios pobres y dar
esperanzas
si sólo usáramos nuestro poder con justicia.
No podemos rogarte simplemente, Oh Dios, que
termines con las enfermedades;
ya nos has dado una mente clara con la cual
buscar las curas y remedios,
si sólo las usáramos en forma constructiva.
Por lo tanto, te rogamos, Oh Dios,
nos des la fuerza, determinación y voluntad,
para hacer en lugar de sólo rezar,
para ser en lugar de sólo desear.

JACK RIEMER,
Likrat Shabbat

Si no podemos rezar por lo imposible, por lo antinatural, si no podemos rezar por venganza o irresponsabilidad para pedirle a Dios que haga el trabajo que nosotros debemos hacer, ¿por qué rezar? ¿Qué puede hacer la oración por nosotros? ¿Qué puede hacer la oración para ayudarnos cuando sentimos dolor?

Lo primero que hace la oración por nosotros es ponernos en contacto con otras personas, personas que comparten con nosotros las mismas preocupaciones, valores, sueños y dolores. A fines del siglo XIX y comienzos del siglo XX, uno de los fundadores de la sociología fue un francés llamado Émile Durkheim. Nieto de un rabino ortodoxo, Durkheim estaba interesado en el rol que desempeñaba la sociedad en la formación religiosa y ética de las personas. Pasó varios años en las islas del Mar del Sur estudiando la religión de los nativos primitivos a fin de averiguar cómo era la religión antes de que se formalizara en los libros de oraciones y los clérigos profesionales. En 1912, publicó su importante libro *Formas elementales de vida religiosa,* en el cual sugería que el objetivo principal de la religión en su nivel inicial no era poner a las personas en contacto con Dios sino ponerlas en contacto unas con otras. Los rituales religiosos enseñaban a la gente a compartir con sus vecinos las experiencias del nacimiento y el duelo, del casamiento de los hijos y el fallecimiento de los padres. Había rituales para plantar y cosechar, para el solsticio de invierno y para el equinoccio de verano. De ese modo, la comunidad podía compartir los momentos más felices y más aterradores de la vida. Nadie debía enfrentarlos solo.

Yo creo que eso sigue siendo lo que la religión hace mejor. Inclusive las personas que, por lo general, no sienten inclinación por los rituales, aceptan una boda tradicional en presencia de amigos y vecinos, en la cual se pronuncian palabras familiares y se realizan ceremonias familiares aunque su matrimonio sería igualmente válido si se llevara a cabo en la privacidad de un juzgado de paz. Necesitamos compartir nuestras alegrías con otras personas y necesitamos aún más compartir de la misma forma nuestros temores y nuestro dolor. La costumbre judía de la *shiva*, la semana recordatoria después de una muerte, como el velorio cristiano o la visita a la capilla, surgen de esta necesidad. Cuando nos sentimos terriblemente solos, castigados por el destino, cuando sentimos la tentación de acurrucarnos en un rincón oscuro y sentir pena por nosotros mismos, necesitamos que nos recuerden que formamos parte de una comunidad, que las personas que nos rodean se preocupan por nosotros y que continuamos formando parte del flujo de la vida. En ese punto, la religión estructura lo que hacemos, obligándonos a estar con otras personas y a permitirles que participen en nuestra vida.

Con frecuencia, cuando me reúno con una familia después de una muerte y antes del servicio funerario, me preguntan:

—¿Es necesario realmente que realicemos la *shiva*, que nuestra sala se llene de gente? ¿No podríamos pedirles que nos dejaran solos?

Y yo les respondo:

—No, dejar que la gente entre en esta casa, que comparta su dolor, es exactamente lo que ustedes necesitan en este momento. Necesitan compartir con ellos, conversar, que otros los consuelen. Necesitan que les recuerden que todavía están vivos y forman parte de un mundo de vida.

En el ritual de duelo judío existe una costumbre maravillosa llamada *se'udat havra'ah*, la comida de reabastecimiento. Al regresar del cementerio, se supone que los deudos no deben prepararse la comida (ni servir a los demás). Los deben alimentar otras personas, lo cual simboliza que la comunidad se congrega alrededor de ellos para apoyarlos y tratar de llenar el vacío que se produjo en su mundo.

Y cuando los deudos asisten al servicio para recitar el Kaddish de los Deudos, la oración que se recita durante un año después de una muerte, se sienten rodeados por una congregación que los apoya y los comprende. Ven y oyen a otros deudos, que sufren tanto como ellos, y se sienten menos aislados por la adversidad del destino. Se sienten consolados por su presencia, por el hecho de que los acepten y consuelen en lugar de estar lejos de la comunidad como víctimas a quienes Dios ha considerado conveniente castigar.

En el incidente con el cual comenzó este capítulo, un extraño me llamó por teléfono para pedirme que rezara por su madre, a quien iban a operar. ¿Por qué acepté si no creo que mis plegarias (ni tampoco las suyas) harán que Dios afecte el resultado de la operación? Al aceptar, le estaba diciendo: "Noto en tu voz la preocupación por tu madre. Comprendo que estás preocupado y asustado por lo que podría suceder. Quiero que sepas que yo y tus vecinos de esta comunidad compartimos esa preocupación. Estamos contigo aunque no te conozcamos, porque podemos imaginar lo que sentiríamos si nos encontráramos en tu situación y deseáramos y necesitáramos todo el apoyo posible. Confiamos y rogamos junto contigo para que las cosas salgan bien, para que no sientas que debes enfrentar solo esta situación atemorizante. Si te sirve de ayuda, si ayuda a tu madre, saber que nosotros también estamos preocupados y confiamos en su recuperación, te aseguro que es así." Y creo firmemente que saber que la gente se interesa *puede* afectar el curso de la salud de una persona.

La oración, cuando se ofrece correctamente, redime a las personas del aislamiento. Les asegura que no tienen por qué sentirse solas y abandonadas. Les hace saber que forman parte de una realidad más grande, más profunda, más esperanzada, más valiosa y más llena de futuro de la que podría tener un individuo por sí solo. Asistimos a un servicio religioso, recitamos las oraciones tradicionales, no para encontrarnos con Dios (hay muchos otros lugares en los cuales podemos encontrarlo) sino para encontrarnos con una congregación, para encontrar personas con las cuales podemos compartir las cosas que más significan para nosotros. Desde ese punto de vista, el mero hecho de poder rezar ayuda, ya sea que la oración cambie o no el mundo exterior.

El maravilloso narrador de historias Harry Golden pone esto de relieve en uno de sus cuentos. Cuando era joven, una vez le preguntó a su padre:

—Si no crees en Dios, ¿por qué asistes con regularidad a la sinagoga?

—Los judíos van a la sinagoga por muchos motivos —le respondió su padre—. Mi amigo Garfinkle, que es ortodoxo, va a conversar con Dios. Yo voy a conversar con Garfinkle.

Pero esa es sólo la mitad de la respuesta a nuestra pregunta: "¿qué sentido tiene rezar?"; quizá la parte menos importante. Además de ponernos en contacto con otras personas, la oración nos pone en contacto con Dios. No estoy seguro de que la oración nos ponga en contacto con Dios del modo en que lo cree mucha gente: que nos aproximamos a Dios como suplicantes, como mendigos que piden favores, o como un cliente que le presenta una lista de compras y le pregunta cuánto le costará. La oración no es, fundamentalmente, una cuestión de pedirle a Dios que cambie las cosas. Si logramos comprender lo que puede y debería ser la oración, y nos liberamos de algunas expectativas poco realistas, estaremos más capacitados para recurrir a ella y a Dios, cuando más los necesitemos.

Permítanme comparar dos oraciones que están en la Biblia, pronunciadas por la misma persona, en casi las mismas circunstancias, con una diferencia de veinte años. Las dos se encuentran en el Libro del Génesis, en el ciclo de historias sobre la vida de los patriarcas.

En el capítulo 28, Jacob es un hombre joven que pasa la primera noche lejos de su casa. Ha dejado la casa de sus padres, después de haber discutido con su padre y hermano, y viaja a pie por la tierra de Arám para ir a vivir con su tío Labán. Asustado y sin experiencia, avergonzado por lo que ha hecho en su hogar y sin saber lo que lo aguarda en la casa de Labán, dice una plegaria: "Si Dios me acompaña en esta aventura, me protege, me da alimentos para comer y ropa para cubrirme, y si regreso a salvo a la casa de mi padre, entonces el Señor será mi único Dios. Le dedicaré un altar y destinaré un décimo de todo lo que gane para Él". La oración de Jacob en esas circunstancias es la de un joven asustado que se ha propuesto hacer algo difícil, no está seguro de poder lograrlo, y piensa que puede "sobornar" a Dios para que lo ayude. Está dispuesto a convencer a Dios de que vale la pena protegerlo y hacerlo prosperar, y cree, aparentemente, en un Dios cuyos favores se pueden ganar y cuya protección se puede comprar con promesas de oraciones, caridad y veneración exclusiva. Su actitud, muy similar a la de muchísima gente en la actualidad frente a una enfermedad o infortunio, se expresa del siguiente modo: "Por favor Dios, has que esto salga bien y haré todo lo que quieras. Dejaré de mentir, iré a los servicios religiosos en forma regular —sólo tienes que decirlo y yo lo haré si me concedes lo que te pido". Cuando no estamos involucrados personalmente, reconocemos que la actitud es inmadura y que la imagen de Dios que transmite es inmadura también. Pensar de ese modo no es inmoral, pero carece de fundamentos. El mundo no funciona así. Las bendiciones de Dios no están en venta.

Finalmente, Jacob aprende la lección. El relato bíblico de su vida continúa: Jacob pasa veinte años en la casa de Labán. Se casa con las dos hijas de Labán y tiene muchos hijos. Trabaja con ahínco y acumula una pequeña fortuna. Después llega el día en que toma sus esposas e hijos, sus rebaños y manadas y regresa a su hogar. Llega a la misma orilla del río donde rezó en el capítulo 28. En esta ocasión, también siente ansiedad y miedo. Se dirige nuevamente hacia un nuevo país, una situación desconocida. Sabe que al día siguiente tendrá que enfrentarse con su hermano Esaú, que amenazó con matarlo veinte años antes. Una vez más, se pone a rezar. Pero en esa ocasión, como tiene veinte años más y es más sabio, ofrece una oración muy diferente de la primera. En el capítulo 32 del Génesis, Jacob reza: "Dios de mi padre Abraham y de mi padre Isaac, no merezco las bondades que has derramado sobre mí. La última vez que crucé este río sólo tenía un bastón en mi mano, y ahora poseo dos campamentos. Guárdame, te ruego, de mi hermano Esaú, pues le temo... Pues fuiste Tú quien me dijo, 'haré que tu descendencia sea una multitud incontable como la arena del mar'."

En otras palabras, en su oración, Jacob ya no intenta negociar con Dios, ni Le presenta una larga lista de pedidos: comida, ropa, prosperidad, un retorno seguro. Reconoce que no existe moneda con la cual se pueda pagar a Dios Sus bendiciones y Su ayuda. La oración de la madurez de Jacob dice simplemente: "Dios, no tengo derecho a pedirte nada y tampoco nada que ofrecerte. Ya me has dado más de lo que tenía derecho a esperar. Sólo hay un motivo por el cual recurro a Ti en este momento: te necesito. Tengo miedo; mañana deberé enfrentar algo difícil y no estoy seguro de poder hacerlo solo, sin Ti. Dios, una vez me diste motivos para creer que era capaz de hacer algo bueno en la vida. Si realmente lo pensabas, entonces será mejor que me ayudes ahora, porque no puedo manejar esto solo".

Jacob no le pide a Dios que aleje a Esaú, que merme su fuerza o borre mágicamente su memoria. Sólo le pide que lo ayude a tener menos miedo, que le dé un indicio de que está de su parte, para poder manejar lo que le depare el día siguiente, y sabe que así podrá hacerlo, porque si Dios le da una señal, no deberá enfrentarlo solo.

Esa es la clase de oración a la cual Dios responde. No podemos rogarle que libre nuestra vida de problemas; eso no sucederá, y quizá no sea del todo malo. No podemos pedirle que nos haga inmunes, a nosotros y a los que amamos, a la enfermedad, porque no puede hacerlo. No podemos pedirle que nos proteja con un sortilegio para que las cosas malas les sucedan solamente a los demás y jamás a nosotros. Las personas que rezan por milagros por lo general no los obtienen, como tampoco obtienen lo que piden los niños que rezan por una bicicleta, buenas notas o un novio. Pero las personas que rezan pidiendo valor, fortaleza para soportar lo insoportable, gracia para recordar lo que siguen teniendo en lugar de lo que han perdido, descubren con mucha frecuencia que su ruego da resultado. Descubren que poseen más fortaleza, más valor del que jamás pensaron que tenían. ¿De dónde lo obtuvieron? Me agradaría creer que sus oraciones les ayudaron a encontrar esa fortaleza. Sus oraciones les ayudaron a encontrar reservas ocultas de fe y valor que no estaban a su disposición con anterioridad. La viuda que me pregunta el día del funeral de su esposo: "¿Qué razón tengo para vivir ahora?", y sin embargo a medida que pasan las semanas encuentra razones para despertar cada mañana y esperar con ansias el nuevo día; el hombre que perdió su trabajo o tuvo que cerrar su empresa y me dice: "Rabino, estoy demasiado viejo y cansado para empezar de nuevo", pero de todos modos lo hace; ¿de dónde sacaron la fortaleza, la esperanza, el optimismo que no tenían el día en que me hicieron esas preguntas? Me gustaría creer que los recibieron del contexto de una comunidad preocupada, de personas que les demostraron que se interesaban por ellos, y de la convicción de que Dios está del lado de los afligidos y de los abatidos.

Si pensamos que la vida es una especie de olimpíada, podemos decir que algunas de sus crisis son carreras cortas. Requieren la máxima concentración emocional durante un breve período. Después terminan, y la vida regresa a la normalidad. Pero otras crisis son carreras largas. Exigen que mantengamos la concentración durante un período mucho más largo, y eso resulta mucho más difícil.

He visitado en sus camas de hospital a personas que sufrieron quemaduras graves o se quebraron la columna en un accidente. Durante los primeros días, están agradecidas de estar vivas y llenas de confianza. "Soy un luchador; voy a superar esto." En esos primeros días, los amigos y la familia no se alejan ni un centímetro de su lado, les dan constantemente su apoyo y se preocupan por su bienestar. Después, a medida que transcurren las semanas y los meses, la larga duración de la crisis comienza a hacer estragos tanto en el paciente como en su familia. El enfermo se impacienta con la uniformidad de la rutina diaria y la falta de progresos visibles. Se enoja consigo mismo por no curarse más rápido, con los médicos por no tener la magia que produciría resultados instantáneos. La esposa que era solícita cuando se diagnosticó el cáncer de pulmón de su esposo, comienza a volverse quisquillosa e impaciente. "Por supuesto que siento pena por él, pero yo también tengo necesidades. Durante años trabajó hasta agotarse, descuidó su salud, y ahora que sufre las consecuencias pretende que renuncie a mi vida y me convierta en su enfermera." Ama a su esposo, por supuesto, y se siente muy mal por el hecho de que esté enfermo. Pero empieza a cansarse de una ordalía cuyo fin no está a la vista. Es probable que sienta temor de quedar viuda, que esté preocupada por su futuro financiero, enojada con él por enfermarse (especialmente si, en realidad, él fumaba y descuidaba su salud), agotada por las noches sin dormir debido a la preocupación. Está experimentando temor y fatiga, pero los expresa como impaciencia e ira.

De igual modo, los padres de un niño retrasado hacen frente a una situación a largo plazo sin posibilidades de un final feliz. Los primeros años de comprensión, resignación, alegría ante cada paso tambaleante y balbuceo, pueden derivar en un período de frustración e ira a medida que el niño queda más retrasado en relación con otros de su misma edad, y olvida las cosas que ellos le enseñaron con gran esfuerzo. Y después, con toda certeza, los padres se sentirán culpables por perder la paciencia con un niño que no tiene la culpa de sus limitaciones.

¿Dónde obtienen esos padres la fortaleza que necesitan para continuar así día tras día? ¿Y cómo hace el hombre que sufre un cáncer inoperable, o la mujer con mal de Parkinson, para encontrar las fuerzas y la razón para levantarse cada mañana y enfrentar un nuevo día, si no tienen perspectivas de llegar a un final feliz?

Creo que para esas personas, la respuesta también es Dios, pero no del mismo modo. No creo que Dios cause el retraso mental de los niños, ni elija quiénes deben sufrir una distrofia muscular y quiénes no. El Dios en el cual yo creo no nos envía el problema; nos da la fortaleza para enfrentarlo.

¿Dónde obtenemos la fortaleza para seguir adelante cuando ya usamos toda la propia? ¿A quién recurrimos en busca de paciencia cuando la nuestra se agota, cuando tuvimos paciencia durante más años de los que nadie podría soportar, y el final no está a la vista? Yo creo que Dios nos da fortaleza y paciencia y esperanza, y que renueva nuestros recursos espirituales cuando se agotan. ¿De qué otro modo lograrían los enfermos reunir más fortaleza y buen humor durante el curso de una enfermedad prolongada que los que podría tener cualquier otra persona, a menos que Dios estuviera reabasteciendo sus almas constantemente? ¿De qué otro modo encontrarían las viudas el valor para recoger los trozos de su vida y salir a enfrentar el mundo solas, si el día del funeral de su esposo no tenían ese valor? ¿De qué otro modo se despertarían cada mañana los padres de un niño retrasado o con daño cerebral para encarar sus obligaciones, a menos que pudieran apoyarse en Dios cuando sus fuerzas flaquearan?

No tenemos que rogarle o sobornarlo para que Dios nos dé fortaleza, esperanza o paciencia. Sólo debemos recurrir a Él, admitir que no podemos hacerlo solos y comprender que soportar con valor una larga enfermedad es una de las cosas más humanas, y una de las más divinas, que podemos hacer. Uno de los hechos que me reafirma constantemente que Dios es real, y no sólo una idea formulada por líderes religiosos, es que la gente que reza pidiendo fortaleza, esperanza y valor descubre frecuentemente recursos de fortaleza, esperanza y valor que no poseía antes de rezar.

Creo, además, que los niños enfermos deberían rezar. Deberían rezar pidiendo fortaleza para soportar su enfermedad. Deberían rezar pidiendo que la enfermedad y su tratamiento no los lastimen excesivamente. Deberían rezar como un modo de hablar de sus temores sin la vergüenza de expresarlos en voz alta, y como una reafirmación de que no están solos. Dios está cerca de ellos, inclusive a la noche tarde en el hospital, cuando sus padres han regresado a casa y los médicos se han marchado. Dios continúa junto a ellos inclusive cuando están tan enfermos que sus amigos ya no pueden ir a visitarlos. El temor al dolor y al abandono son, quizá, los aspectos más problemáticos de la enfermedad de un niño, y se debería utilizar la oración para atenuar esos temores. Los niños enfermos pueden rezar, inclusive, por un milagro que restablezca su buena salud, en tanto no sientan que Dios los está juzgando para decidir si merecen o no ese milagro. Deberían rezar porque la alternativa sería perder toda esperanza y contar el tiempo hasta que llegara el final.

"¿Si Dios no puede curar mi enfermedad, para qué sirve? ¿Quién lo necesita?" Dios no desea que estés enfermo o tullido. Él no te causó este problema y no desea que continúes teniéndolo, pero no puede hacer que desaparezca. Eso es demasiado difícil, inclusive para Dios. ¿Para qué sirve, entonces? Dios hace que la gente se convierta en médicos y enfermeras para que traten de hacerte sentir mejor. Dios nos ayuda a ser valientes inclusive cuando estamos enfermos y asustados, y nos asegura que no debemos enfrentar solos nuestros temores y dolores.

La explicación convencional de que Dios nos envía una carga porque sabe que somos lo suficientemente fuertes para soportarla, no es exacta. El destino, no Dios, nos envía el problema. Cuando tratamos de enfrentarlo, descubrimos que no somos fuertes. Somos débiles; nos cansamos, nos enojamos, la situación nos supera. Comenzamos a preguntarnos cómo haremos para vivir los años que tenemos por delante. Pero cuando llegamos al límite de nuestra propia fuerza y valor, sucede algo inesperado. Descubrimos que nos llegan refuerzos de una fuente externa a nosotros. Y al saber que no estamos solos, que Dios está de nuestro lado, logramos seguir adelante.

Con estas palabras le respondí a la joven viuda que cuestionó la eficacia de la oración. Su esposo había muerto de cáncer, y ella me dijo que cuando él era un enfermo terminal, había rezado por su recuperación. Sus padres, sus parientes políticos y sus vecinos habían rezado. Una vecina protestante había convocado al círculo de oración de su iglesia, y una vecina católica había pedido la intercesión de San Judas, santo patrón de las causas imposibles. Se rezaron por él oraciones de todo tipo e idioma, y ninguna de ellas funcionó. Murió en el plazo diagnosticado por los médicos, dejándola a ella y a sus hijos pequeños sin el apoyo de un esposo y padre. Después de todo, me dijo, ¿cómo podría alguien tomar en serio la oración?

Le pregunté si era totalmente cierto que sus oraciones no habían sido escuchadas. Su esposo murió; no hubo una cura milagrosa de su enfermedad. ¿Pero qué sucedió? Sus amigos y parientes rezaron; rezaron judíos, católicos y protestantes. En un momento en que se sentía desesperadamente sola, descubrió que no lo estaba. Que muchísima gente sufría por ella y con ella, y eso fue muy importante. Todas esas personas le decían que eso no le estaba sucediendo porque fuera una mala persona. Se trataba de una circunstancia terrible e injusta que no se podía evitar. Intentaban decirle que la vida de su esposo también significaba mucho para ellos, y no solamente para ella y sus hijos, y que pasara lo que pasase, ella no estaría completamente sola. Eso era lo que decían sus oraciones, y estoy seguro de que marcó una gran diferencia.

¿Y qué me dice de *sus* oraciones?, le pregunté a ella. ¿No fueron escuchadas? Enfrentó una situación que podría haber quebrantado fácilmente su espíritu, una situación que la podría haber convertido en una mujer amargada, reconcentrada, envidiosa de las familias intactas que la rodeaban, incapaz de responder a la promesa de estar viva. Por alguna razón, eso no sucedió. De algún modo usted encontró la fortaleza para no quebrantarse. Encontró la fuerza moral para seguir viviendo e interesándose por las cosas. Al igual que Jacob en la Biblia, al igual que todos nosotros en uno u otro momento, enfrentó una situación atemorizante, rezó pidiendo ayuda, y descubrió que era mucho más fuerte, y que estaba mucho más capacitada para enfrentarla de lo que jamás hubiera creído. En su desesperación, abrió su corazón en la oración, ¿y qué sucedió? No obtuvo un milagro que evitara la tragedia. Pero descubrió que había gente a su alrededor, que Dios estaba junto a ella; descubrió fortaleza en su interior que la ayudó a superar la tragedia. Ofrezco este caso como un ejemplo de oración que fue escuchada.

8

ENTONCES, ¿PARA QUÉ SIRVE LA RELIGIÓN?

En cierto modo, hace quince años que escribo este libro. Desde el día en que escuché por primera vez la palabra "progeria" y me dijeron su significado, sabía que un día debería enfrentar la declinación y muerte de Aaron. Y sabía que, después de su muerte, sentiría la necesidad de escribir un libro, para compartir con los demás la historia de cómo logramos seguir creyendo en Dios y en el mundo a pesar de nuestro gran dolor. No sabía qué título le pondría, y no estaba totalmente seguro de lo que diría. Pero sabía que la página siguiente al título contendría una dedicatoria a Aaron. Con los ojos de mi mente, podía visualizar la dedicatoria y, debajo de ella, la cita de la Biblia, las palabras del Rey David después de la muerte de su hijo: "¡Absalón, hijo mío! ¿Por qué no habré muerto yo en tu lugar?"

Pero un día, un año y medio después de la muerte de Aaron, noté que estaba visualizando esa página de un modo diferente. En lugar del pasaje en el cual David desea estar muerto y su hijo vivo, vi con los ojos de mi mente las palabras de David después de la muerte de otro niño fallecido con anterioridad, el pasaje que finalmente utilicé, en parte, en la dedicatoria de este libro:

> Pero David advirtió que sus servidores hablaban sigilosamente entre ellos, y comprendió que el niño había muerto. Entonces les preguntó: "¿Ha muerto el niño?". Y ellos le dijeron: "Sí, está muerto". David se levantó del suelo, se bañó, se perfumó y se cambió de ropa. Luego entró en la Casa del Señor y se postró. Una vez que volvió a su casa, pidió que le sirvieran de comer y comió. Sus servidores le dijeron: "¿Qué modo de proceder es éste? Cuando el niño estaba vivo, ayunabas y llorabas. ¡Y ahora que él ha muerto, te levantas y te pones a comer!". Él respondió: "Mientras el niño vivía, yo ayunaba y lloraba, pensando: '¿Quién sabe? A lo mejor el Señor se apiada de mí y el niño se cura'. Pero ahora que está muerto, ¿para qué voy a ayunar? ¿Acaso podré hacerlo volver? Yo iré hacia él, pero él no volverá hacia mí". (II Samuel 12:19-23)

Supe, entonces, que había llegado el momento de escribir mi libro. Había superado la lástima que sentía por mí mismo y aceptaba la muerte de mi hijo. Un libro que le hablara a la gente de mi dolor no sería beneficioso para nadie. Debía ser un libro que afirmara la vida. Tendría que decir que nadie nos prometió nunca una vida exenta de dolores y decepciones. Lo máximo que nos prometieron fue que no estaríamos solos en nuestro dolor, y que podríamos recurrir a una fuente externa a nosotros para obtener la fortaleza y el valor que necesitáramos para superar las tragedias y las injusticias de la vida.

Yo soy una persona más sensible, un pastor más eficaz, un consejero más comprensivo debido a la vida y la muerte de Aaron de lo que jamás lo hubiera sido sin ellas. Y renunciaría a todo eso en un segundo si pudiera tener nuevamente a mi hijo conmigo. Si pudiera elegir, renunciaría al crecimiento y profundidad espirituales que he obtenido a partir de nuestras experiencias, y sería lo que era hace quince años, un rabino promedio, un consejero indiferente que ayudaba a algunas personas y no podía ayudar a otras, para ser el padre de un niño brillante y feliz. Pero no puedo elegir.

Creo en Dios. Pero no creo las mismas cosas acerca de Él que creía hace muchos años cuando estaba creciendo o cuando era un estudiante de teología. Reconozco sus limitaciones. Lo que Él puede hacer está limitado por las leyes de la naturaleza y por la evolución de la naturaleza humana y la libertad moral humana. Ya no hago a Dios responsable de las enfermedades, los accidentes y los desastres naturales porque comprendo que gano muy poco y pierdo mucho cuando culpo a Dios de esas cosas. Puedo venerar a un Dios que detesta el sufrimiento pero no puede suprimirlo, con más facilidad de la que puedo venerar a un Dios que elige hacer sufrir y morir a los niños, por más elevadas que sean sus razones. Hace algunos años, cuando estaba de moda la teología de la "muerte de Dios", recuerdo haber visto un autoadhesivo que decía: "Mi Dios no está muerto; lamento que el tuyo lo esté". Creo que mi autoadhesivo debería decir: "Mi Dios no es cruel; lamento que el tuyo lo sea".

Dios no causa nuestras desgracias. Algunas se originan en la mala suerte, otras por los actos de malas personas, y otras, simplemente, como consecuencia inevitable de que seamos humanos y mortales y vivamos en un mundo de leyes naturales inflexibles. Las cosas dolorosas que nos suceden no son castigos por nuestra mala conducta, ni tampoco forman parte de un plan maestro de Dios. Debido a que la tragedia no se produce por voluntad de Dios, no debemos sentirnos heridos o traicionados por Dios cuando la tragedia nos golpea. Podemos recurrir a Él en busca de ayuda para superarla, precisamente porque podemos decirnos que Dios está tan indignado por ella como nosotros.

"¿Significa eso que mi sufrimiento no tiene sentido?" Ese es el desafío más importante que debe enfrentar el punto de vista que sostengo en este libro. Somos capaces de soportar casi cualquier dolor o decepción si pensamos que existe una razón para ello, que tiene un fundamento. Pero inclusive una carga mucho más pequeña nos resulta insoportable si consideramos que no tiene sentido. Los pacientes de los hospitales de veteranos que han recibido heridas graves en combate se adaptan con más facilidad a sus heridas que los pacientes que han sufrido la misma herida cuando estaban jugando al basquet o nadando en una piscina porque se pueden decir a sí mismos que sus sufrimientos se deben, por lo menos, a una buena causa. Del mismo modo, los padres que se pueden convencer de que la discapacidad de su hijo sirve a algún objetivo, la aceptan mejor.

¿Recuerdan la historia bíblica acerca de Moisés, en el capítulo 32 del Éxodo? En esa historia, Moisés bajó del Monte Sinaí y vio a los israelitas adorando el becerro de oro. Entonces, arrojó al suelo las piedras de los Diez Mandamientos y se hicieron trizas. Una leyenda judía relata que cuando Moisés bajaba de la montaña con las dos piedras en las cuales Dios había escrito los Diez Mandamientos, no tuvo problemas para cargarlas aunque eran pesadas y grandes y el sendero, empinado. Después de todo, aunque eran pesadas, estaban escritas por Dios y eran valiosas para él. Pero según la leyenda, cuando Moisés llegó al lugar donde se encontraba la gente bailando alrededor del becerro de oro, las palabras desaparecieron de la piedra. Las rocas volvieron a ser piedras en blanco y entonces le resultaron demasiado pesadas y no pudo sostenerlas.

Somos capaces de soportar cualquier carga si pensamos que lo que estamos haciendo tiene un significado. Cuando digo que no son enviadas por Dios como parte de Su plan maestro, ¿he hecho acaso que a la gente le resulte más difícil aceptar sus enfermedades, sus tragedias, sus desdichas familiares?

Permítanme sugerirles que las cosas malas que nos suceden durante nuestra vida carecen de significado cuando nos suceden a nosotros. No se producen por ninguna buena razón que haría que las aceptáramos de buen grado. Pero podemos darles un significado. Podemos redimir esas tragedias de su carencia de sentido, imponiéndoles un significado desde nosotros mismos. La pregunta que debemos hacernos no es: "¿Por qué me sucede esto a mí? ¿Qué hice para merecer esto?". Esa es, en realidad, una pregunta inútil y sin respuesta. Sería preferible preguntarnos: "Ahora que me ha sucedido esto, ¿qué voy a hacer al respecto?"

Martin Gray, sobreviviente del gueto de Varsovia

y del Holocausto, relata su vida en un libro titulado *Por aquellos que amé.* Cuenta que, después del Holocausto, rehízo su vida, tuvo éxito, se casó y formó una familia. La vida le parecía buena después de los horrores del campo de concentración. Pero un día, su esposa e hijos fallecieron cuando un incendio forestal destruyó su casa en el sur de Francia. Gray estaba desesperado, esa nueva tragedia lo llevó al borde de la locura. La gente le insistía en que exigiera una investigación para averiguar las causas del incendio, pero él prefirió emplear sus recursos en un movimiento para proteger la naturaleza de incendios futuros. Gray explicó que una investigación se concentraría únicamente en el pasado, en cuestiones de dolor, pena y culpa. Él deseaba concentrarse en el futuro. La investigación lo enfrentaría con otras personas —"¿alguien cometió una negligencia?, ¿de quién fue la culpa?"—, y enfrentarse a los demás, buscar un villano, acusar a otras personas por el dolor propio, sólo deja más sola a una persona que ya lo está. La vida, concluyó, debe ser vivida por algo, no contra algo.

Nosotros también debemos superar las preguntas que se concentran en el pasado y en el dolor —"¿por qué me sucedió esto a mí?"— y hacernos, en cambio, la pregunta que abre las puertas del futuro: "Ahora que me ha sucedido esto, ¿qué voy a hacer al respecto?"

Permítanme citar nuevamente a Dorothee Soelle, la teóloga alemana que cité en el capítulo 5, cuando preguntaba de qué lado pensábamos que estaba Dios en los campos de concentración, del lado de los asesinos o del lado de las víctimas. Soelle, en su libro

Sufrimiento, sugiere que "la pregunta más importante que podemos hacer acerca del sufrimiento es a quién le resulta útil. ¿Sirve nuestro sufrimiento a Dios o al diablo, la causa de estar vivos o de estar moralmente paralizados?". Soelle no desea que nos concentremos en el origen de la tragedia sino en el punto hacia el cual nos lleva. En ese contexto se refiere a los "mártires del demonio". ¿Qué significado le da a esa frase? Estamos familiarizados con la idea de que varias religiones honran la memoria de mártires por Dios, personas que murieron para dar testimonio de su fe. Al recordar su fe frente a la muerte, nuestra propia fe se fortalece. Esas personas son mártires de Dios.

Pero las fuerzas de la desesperación y el descreimiento también tienen sus mártires, personas cuya muerte debilita la fe de otras personas en Dios y en Su mundo. Si la muerte de una anciana en Auschwitz o de un niño en una sala de hospital nos hacen dudar de Dios y no nos permiten afirmar las bondades del mundo, entonces esa mujer y ese niño se convierten en "mártires del demonio", son testimonios *contra* Dios, contra la plenitud de sentido de una vida moral, en lugar de ser testimonios a favor de Él. Pero (y éste es el punto más importante de Soelle) no son las circunstancias de su muerte las que los convierten en testigos a favor o en contra de Dios. Sino *nuestra reacción* frente a su muerte.

Los hechos de la vida y de la muerte son neutrales. Nosotros, con nuestra respuesta, le damos al sufrimiento un significado positivo o negativo. Las enfermedades, los accidentes, las tragedias humanas matan gente. Pero no matan, necesariamente, la vida o la fe. Si la muerte y sufrimiento de una persona amada nos vuelve amargados, envidiosos, nos aparta de la religión, nos incapacita para ser felices, *nosotros* convertimos a la persona que falleció en uno de los "mártires del demonio". Si el sufrimiento y la muerte de alguien muy próximo a nosotros nos hace explorar los límites de nuestra capacidad de fortaleza, amor y alegría, si nos lleva a descubrir fuentes de consuelo que no sabíamos que existían, entonces *nosotros* convertimos a esa persona en un testigo de la reafirmación de la vida en lugar de su rechazo.

Eso significa, sugiere Soelle, que aún podemos hacer algo por las personas que quisimos y perdimos. No podemos mantenerlos con vida. Quizá, ni siquiera podamos atenuar su dolor. Pero podemos hacer algo crucial por ellos después de su muerte: hacerlos testigos de Dios y de la vida, en lugar de convertirlos, con nuestra desesperación y pérdida de fe, en los "mártires del demonio". Los muertos dependen de nosotros para su redención y su inmortalidad.

Las palabras de Soelle nos indican la forma en que podemos actuar positivamente frente a una tragedia. Pero, ¿y el rol de Dios? Si Dios no causa las cosas malas que le suceden a la gente buena, y si no puede impedirlas, ¿para qué sirve?

En primer lugar, Dios ha creado un mundo en el cual suceden muchas más cosas buenas que cosas malas. Los desastres de la vida nos perturban no sólo porque son dolorosos sino porque son excepcionales. La mayoría de las personas se despierta sintiéndose bien la mayoría de los días. La mayoría de las enfermedades son curables. La mayoría de los aviones decolan y aterrizan a salvo. La mayoría de las veces, cuando dejamos salir a jugar a nuestros hijos, regresan a salvo a casa. El accidente, el robo, el tumor inoperable son excepciones desgarradoras, pero son excepciones que se producen muy raras veces. Cuando se ha recibido una herida de la vida, es posible que resulte difícil recordarlo. Cuando se está parado muy cerca de un objeto grande, lo único que se puede ver es ese objeto. Sólo si se retrocede unos pasos es posible ver el resto del panorama. Cuando una tragedia nos golpea, sólo podemos ver y sentir la tragedia. Sólo con el correr del tiempo y tomando distancia, podemos ver la tragedia en el contexto de una vida completa y un mundo completo. En la tradición judía, la oración especial que se conoce como el Kaddish de los Deudos no versa acerca de la muerte sino de la vida y alaba a Dios por haber creado un mundo básicamente bueno en el cual es posible vivir. Al recitar esa oración, los deudos recuerdan todo lo bueno, aquello por lo que vale la pena vivir. Hay una diferencia crucial entre negar la tragedia, insistiendo en que todo es para bien, y ver la tragedia en el contexto de una vida completa, conservando los ojos y la mente fijos en lo que nos ha enriquecido y no solamente en lo que hemos perdido.

¿Qué diferencia marca Dios en nuestra vida, si Él no mata ni cura? Dios inspira a las personas para que ayuden a otras personas que han recibido una herida de la vida y, al ayudarlas, las protegen del peligro de sentirse solas, abandonadas o juzgadas. Dios hace que algunas personas deseen ser médicos y enfermeras, y que pasen día y noche haciendo sacrificios que no se pueden compensar con todo el dinero del mundo para conservar la vida y aliviar el dolor. Dios mueve a otras personas a que deseen ser investigadores y concentren su inteligencia y energía en las causas y curas posibles para algunas de las tragedias de la vida. Cuando yo era niño, el principio del verano tenía el clima más agradable del año en la ciudad de Nueva York, pero era una época de temor para las familias jóvenes porque podía desatarse una epidemia de polio. Pero los seres humanos emplearon la inteligencia que les dio Dios para eliminar ese temor. En toda la historia de la humanidad hubo plagas y epidemias que destruyeron ciudades completas. La gente consideraba que debía tener seis u ocho hijos para que, por lo menos, algunos sobrevivieran hasta la edad adulta. La inteligencia humana ha llegado a una mayor comprensión de las leyes naturales en lo que respecta a higiene, gérmenes, inmunización, antibióticos, y ha logrado eliminar muchos de esos flagelos.

Dios, que no causa ni impide las tragedias, ayuda dándoles a las personas inspiración y deseos de ayudar. Como dijo un rabino jasídico del siglo XIX: "los seres humanos son el lenguaje de Dios". Dios no demuestra su oposición al cáncer y los defectos congénitos eliminándolos o haciendo que les sucedan sólo a las personas malas (no puede hacerlo), sino convocando a amigos y vecinos para que alivien la carga y llenen el vacío. Durante la enfermedad de Aaron recibimos el apoyo de muchas personas que se esforzaron por demostrarnos que se interesaban por nosotros y nos comprendían: el hombre que le confeccionó una raqueta de tenis adecuada para su tamaño, y la mujer que le regaló un pequeño violín hecho a mano, que era una herencia familiar; el amigo que le consiguió una pelota de béisbol autografiada por los Red Sox, y los niños que, sin prestar atención a su aspecto y limitaciones físicas, jugaban con él a la pelota en el jardín trasero, y lo hacían cumplir las reglas al igual que ellos. Gente como ésa es "el lenguaje de Dios", Su modo de decirle a nuestra familia que no estaba sola, ni desterrada.

Del mismo modo, creo firmemente que Aaron sirvió a los fines de Dios, no por el hecho de estar enfermo y tener un aspecto extraño (no existen motivos para que Dios pudiera desear semejante cosa), sino por enfrentar con valentía su enfermedad y los problemas que le causaba su aspecto. Sé que su valor y el hecho de que lograra vivir una vida plena, a pesar de sus limitaciones, afectó a sus amigos y compañeros. Y sé que las personas que conocieron a nuestra familia pudieron manejar los momentos difíciles de su vida con más esperanza y valor cuando vieron nuestro ejemplo. Considero que ésas son las ocasiones en las cuales Dios incita a la gente que está aquí, en la Tierra, a ayudar a otra gente que lo necesita.

Y, finalmente, a la persona que pregunta: "¿para qué sirve Dios? ¿Quién necesita la religión, si esas cosas le suceden por igual a la gente buena y a la mala?", yo le diría que si bien Dios no puede impedir la desgracia, puede darnos la fortaleza y la perseverancia para superarla. ¿Dónde más podríamos obtener esas cualidades que no poseíamos con anterioridad? El ataque al corazón que hace trabajar menos al empresario de cuarenta y seis años, no proviene de Dios, pero la determinación a cambiar el estilo de vida, dejar de fumar, preocuparse menos por expandir su empresa y más por estar con su familia, porque ha comprendido qué parte de su vida es realmente importante para él, todo eso proviene de Dios. Dios no propicia los ataques al corazón; ellos son la respuesta de la naturaleza a los excesos a los cuales se somete al organismo. Pero Dios propicia la autodisciplina y el formar parte de una familia.

La inundación que destruye un pueblo no es un "acto de Dios", aunque a las compañías de seguros les resulte útil darle ese nombre. Pero podemos llamar actos de Dios a los esfuerzos que hace la gente para salvar vidas, arriesgando la suya por una persona que quizá no conoce, y a la determinación de reconstruir la comunidad después de que hayan retrocedido las aguas.

Cuando una persona está muriendo de cáncer, no hago responsable a Dios del cáncer o del dolor que sufre. Sus causas son otras. Pero he comprobado que Dios les da a esas personas la fortaleza para tomar cada día tal como viene, para agradecer un día de sol o un día en el cual están relativamente libres de dolor.

Cuando gente que nunca fue particularmente fuerte se vuelve fuerte frente a la adversidad, cuando gente que tendía a pensar solamente en sí misma se vuelve generosa y heroica en una emergencia, tengo que preguntarme dónde obtuvieron esas cualidades que ellas mismas reconocen no haber tenido antes. Mi respuesta es que ése es uno de los modos en que Dios nos ayuda cuando sufrimos más de lo que pueden soportar nuestras fuerzas.

La vida no es justa. Gente que no debe enfermar, enferma; y gente que no debe sufrir un robo, lo sufre; y gente que no debe morir en guerras y accidentes, muere. Algunas personas, al ver las injusticias de la vida, deciden: "Dios no existe; el mundo es un caos". Otros ven las mismas injusticias y se preguntan: "¿De dónde proviene mi sentido de lo que es justo y de lo que es injusto? ¿De dónde proviene mi sentido de indignación, mi respuesta instintiva de compasión cuando leo en el periódico acerca de un extraño que recibió una herida de la vida? ¿Acaso no provienen de Dios? ¿No me transmitirá un poquito de Su indignación divina ante la injusticia y opresión, tal como hacía con los profetas de la Biblia? ¿No es mi sentimiento de compasión por los afligidos un reflejo de la compasión que Él siente cuando ve sufrir a Sus criaturas?". El hecho de que respondamos a las injusticias de la vida con compasión y justa indignación, la compasión y la ira de Dios que se manifiestan a través de nosotros, es, quizá, la prueba más evidente de la realidad de Dios.

Sólo la religión puede reafirmar el sentido de autoestima de la persona afligida. La ciencia puede describir lo que le ha sucedido a una persona; sólo la religión puede darle el nombre de tragedia. Sólo la voz de la religión, cuando se libera de la necesidad de defender y justificar a Dios por todo lo que sucede, puede decirle a la persona que sufre: "Eres una buena persona y te mereces algo mejor. Permíteme que me siente junto a ti para que sepas que no estás solo".

Ninguno de nosotros puede ignorar el problema de por qué le suceden cosas malas a la gente buena. Tarde o temprano, cada uno de nosotros se encuentra desempeñando uno de los roles de la historia de Job, ya sea como víctima de la tragedia, como miembro de la familia, o como amigo que brinda consuelo. Las preguntas no varían jamás; y la búsqueda de respuestas satisfactorias continúa.

En nuestra generación, el gran poeta Archibald MacLeish nos ha dado su versión de la historia de Job en un escenario moderno. La primera parte de su drama poético *J. B.* cuenta la historia conocida. J. B., el personaje paralelo a Job, es un empresario exitoso rodeado por una familia atractiva y afectuosa. Después, sus hijos mueren uno por uno. Su empresa quiebra, su salud se resiente. Finalmente, una guerra nuclear destruye toda su ciudad y gran parte del mundo.

Tres amigos van a "consolar" a J. B., igual que en el relato bíblico, y aquí también sus palabras son más de justificación que de consuelo. En la versión de MacLeish, el primer amigo es un marxista que le asegura a J. B. que no es culpable de ninguno de sus sufrimientos. Sólo tuvo la mala suerte de ser miembro de la clase económica equivocada en el momento equivocado. Era un capitalista en el momento en que el capitalismo estaba en declinación. Si hubiera llevado la misma vida en otro siglo, no hubiese sido castigado. No está sufriendo por sus propios pecados. Simplemente se puso en el camino de la fuerza arrolladora de la necesidad histórica. J. B. no halla consuelo en esa opinión que toma su tragedia personal demasiado a la ligera, pues lo ve únicamente como miembro de una clase determinada.

El segundo amigo es un siquiatra. J. B. no es culpable, le dice, porque la culpa no existe. Ahora que conocemos cómo funcionan los seres humanos, sabemos que no podemos elegir. Sólo pensamos que elegimos. En realidad, sólo respondemos al instinto. No actuamos; actúan sobre nosotros. Por lo tanto, no tenemos ninguna responsabilidad ni culpa.

J. B. le responde que esa solución, que lo describe como la víctima pasiva de instintos ciegos, lo despoja de su humanidad. "Preferiría sufrir cualquier sufrimiento indecible que me enviara Dios, sabiendo que fui... yo quien actuó, yo quien eligió, en lugar de lavarme las manos como lo haces tú en esa deshonrosa inocencia."

El tercer y último amigo es un clérigo. Cuando J. B. le pregunta por qué pecado está siendo castigado tan duramente, le responde: "Tu pecado es simple. Naciste hombre. ¿Cuál es tu culpa? El corazón del hombre es malvado. ¿Qué hiciste? La voluntad del hombre es malvada". J. B. es un pecador que merece ser castigado no por algo específico que haya hecho sino porque es un ser humano, y los seres humanos son, inevitablemente, imperfectos y pecadores. J. B. le responde: "El tuyo es el consuelo más cruel de todos, pues convierte al Creador del Universo en el mal creador de la humanidad, un cómplice de los crímenes que Él castiga". J. B. no puede recurrir en busca de ayuda y consuelo a un Dios que ha hecho al hombre imperfecto y después lo castiga por sus imperfecciones.

J. B. rechaza las explicaciones de los tres amigos y encara al Mismo Dios, y como en la Biblia, Dios responde abrumando a J. B. con Su grandiosidad, citando líneas directamente del discurso bíblico desde el torbellino.

Hasta ese punto, MacLeish se atiene a la historia bíblica de Job, pero en un escenario moderno. Su final, sin embargo, es totalmente diferente. En la Biblia, la historia termina cuando Dios recompensa a Job todos sus sufrimientos y le da una nueva salud, nuevas riquezas y nuevos hijos. En la obra dramática, no hay recompensas celestiales en la escena final. Por el contrario, J. B. regresa junto a su esposa y ambos se disponen a seguir viviendo juntos y formar una nueva familia. El amor entre ambos, y no la generosidad de Dios, proveerá nuevos hijos para reemplazar a los que murieron.

J. B. perdona a Dios y toma la decisión de continuar viviendo. Su esposa le dice: "Tú deseabas justicia, ¿no es así? Pero no hay justicia... sólo amor". Los dos narradores, que representan las perspectivas de Dios y Satán, están desconcertados. ¿Cómo es posible que una persona que sufrió tanto en la vida, desee más vida? "¿Quién representa el papel de héroe, Dios o él? ¿Puede perdonarse a Dios?" "¿No es así? Quizá recuerdes que Job era inocente." El Job de MacLeish no responde al problema del sufrimiento humano con teología o psicología: en lugar de eso, opta por seguir viviendo, por seguir creando nueva vida. Perdona a Dios por no haber hecho un universo más justo y decide aceptarlo tal como es. Deja de buscar la justicia, la equidad en el mundo, y comienza a buscar el amor.

En las conmovedoras líneas finales, la esposa de Job dice:

Las velas de las iglesias se han apagado,
las estrellas ya no están en el cielo.
Soplemos sobre los carbones del corazón quemado,
y ya veremos, ya veremos...

El mundo es un lugar frío e injusto que destruyó todo lo que los dos valoraban. Y sin embargo, en lugar de darse por vencidos, en lugar de buscar respuestas en el exterior, en las iglesias o en la naturaleza, buscan en su interior su propia capacidad de amar. "Soplemos sobre los carbones del corazón" buscando la poca luz y tibieza que podamos reunir para seguir adelante.

En *Dimensiones de Job*, editado por Nahum N. Glatzer, MacLeish escribió un ensayo explicando lo que había intentado decir al final de su obra de Job. "El hombre depende de Dios para todas las cosas; Dios depende del hombre para una. Sin el amor del Hombre, Dios no existe como Dios, solamente como creador, y el amor es lo único que nadie, ni siquiera el Mismo Dios, puede ordenar. Si no se entrega con libertad, no es nada. Y es más amor, más libre, cuando se ofrece a pesar del sufrimiento, la injusticia y la muerte." No amamos a Dios porque es perfecto. No lo amamos porque nos protege de todo mal e impide que nos sucedan cosas malas. No lo amamos porque le tememos ni porque nos causará daño si le damos la espalda. Lo amamos porque es Dios, porque es el autor de todo lo bello y del orden que nos rodea, la fuente de nuestra fortaleza y la esperanza y el valor que están dentro de nosotros, y de la fortaleza, la esperanza y el valor de otras personas que nos ayudan en momentos de necesidad. Lo amamos porque es la mejor parte de nosotros mismos y de nuestro mundo. Ese es el significado del amor. El amor no es la admiración de la perfección, sino la aceptación de una persona imperfecta con todas sus imperfecciones, porque amarla y aceptarla nos hace mejores y más fuertes.

¿Existe una respuesta para la pregunta de por qué le suceden cosas malas a la gente buena? Eso depende del significado que le demos a la palabra "respuesta". Si queremos decir: "¿existe una explicación que haga que todo tenga sentido?" —¿por qué hay cáncer en el mundo?, ¿por qué mi padre enfermó de cáncer?, ¿por qué se estrelló el avión?, ¿por qué murió mi hijo?—, entonces es probable que no exista una respuesta satisfactoria. Podemos ofrecer explicaciones eruditas pero, en definitiva, una vez que hayamos cubierto todos los casilleros del tablero y nos sintamos orgullosos de nuestra inteligencia, el dolor y la angustia y la sensación de injusticia no habrán desaparecido.

Pero la palabra "respuesta" puede significar "contestación" además de "explicación" y, en ese sentido, puede haber una respuesta satisfactoria a las tragedias de nuestra vida. La respuesta sería la contestación de Job en la versión de la historia bíblica de MacLeish: perdonar al mundo por no ser perfecto, perdonar a Dios por no hacer un mundo mejor, acercarnos a la gente que nos rodea, y continuar viviendo a pesar de todo.

En el análisis final, la pregunta de por qué le suceden cosas malas a la gente buena se convierte en varias preguntas diferentes, que ya no preguntan por qué sucedió algo sino cómo responderemos, qué haremos una vez que haya sucedido.

¿Son ustedes capaces de perdonar y aceptar con amor a un mundo que los ha decepcionado porque no es perfecto, un mundo en el cual existen la injusticia y la crueldad, la enfermedad y el crimen, los terremotos y los accidentes? ¿Pueden perdonar sus imperfecciones y amarlo porque está preparado para contener grandes bellezas y bondades, y porque es el único mundo que tenemos?

¿Son ustedes capaces de perdonar y amar a las personas que están alrededor, aun si los han herido y defraudado debido a que no son perfectas? ¿Pueden perdonarlas y amarlas porque no existe ninguna persona perfecta y porque el precio que se paga por no poder amar a las personas imperfectas es la soledad?

¿Son ustedes capaces de perdonar y amar a Dios aunque hayan descubierto que no es perfecto, y los haya defraudado y decepcionado al permitir que exista la mala suerte, la enfermedad y la crueldad en Su mundo, y que algunas de esas cosas les sucedieran a ustedes? ¿Pueden aprender a amarlo y perdonarlo a pesar de Sus limitaciones, como Job, como aprendieron a perdonar y amar a sus padres aunque no fueran tan sabios, tan fuertes o tan perfectos como ustedes necesitaban que fueran?

Y si pueden hacerlo, ¿podrán reconocer que la capacidad de perdonar y la capacidad de amar son las armas que Dios nos ha dado para permitirnos vivir plenamente, con valentía, y dándole un significado a nuestra vida en este mundo imperfecto?

Pienso en Aaron y en todo lo que su vida me enseñó, y soy consciente de lo mucho que perdí y de lo mucho que gané. El ayer me parece menos doloroso, y no le temo al mañana.

AGRADECIMIENTOS

El proceso de transformar una idea en un libro es largo y complicado. Para lograrlo, recibí la ayuda de muchas personas. Arthur H. Samuelson de Shocken Books fue un editor inmensamente comprensivo. Su entusiasmo, en un principio y posteriormente, me ayudó a continuar escribiendo y reescribiendo y sus sugerencias de cambios fueron, invariablemente, útiles. Los miembros de las dos congregaciones que atendí en Great Neck, Nueva York, y Natick, Massachusetts, escucharon mis sermones, me confiaron sus problemas y compartieron con mi familia la vida y la muerte de Aaron; con todo derecho, pueden reclamar su parte en la formulación de este libro. Si bien todos los ejemplos que se mencionan en el libro están sacados de mi experiencia pastoral, son combinaciones de personas que conocí, y cualquier parecido con un individuo específico es casual y no intencional. Varios amigos íntimos leyeron el manuscrito en distintas etapas y les agradezco sus consejos y sugerencias. Pero mi esposa Suzette y nuestra hija Ariel compartieron la vida y la pérdida de Aaron de un modo más íntimo que cualquier otra persona. Mis recuerdos son sus recuerdos y ruego a Dios que mis motivos de consuelo también sean los suyos.

Harold S. Kushner
Natick, Massachusetts, 1981

ÍNDICE